官能の庭Ⅳ
バロックの宇宙

官能の庭

マリオ・プラーツ――著
伊藤博明・新保淳乃 他――訳
伊藤博明――監修

Mario PRAZ, Il Giardino dei Sensi IV, IL GIARDINO DEI SENSI: L'universo barocco

ありな書房

官能の庭——バロックの宇宙

目次

Mario PRAZ

Il Giardino dei Sensi IV
IL GIARDINO DEI SENSI
L'universo barocco

Transtulerunt Hiroaki ITO
Midori WAKAKUWA
Kiyoo UEMURA
Kiyono SHIMBO

Commentavit et Curavit
Hiroaki ITO

Edidit Akira ISHII

Designavit Hikaru NAKAMOTO

官能の庭Ⅳ

官能の庭——バロックの宇宙

プロローグ　奇矯の美学
——マリオ・プラーツの宇宙

ローマとフィレンツェで学んだプラーツが、英語圏において文学研究者として認知されたのは、一九二五年にフィレンツェで刊行された『イギリスにおける一七世紀主義とマリーノ主義』である。ジョン・ダンとリチャード・クラショーという「形而上派詩人」を汎ヨーロッパ文学圏のなかでとらえた本書は、イタリア語で執筆されたにもかかわらず研究者たちの関心を呼び、T・S・エリオットは『タイムズ文芸附録』（一九二五年一一月一七日号）で激賞している。

一九三〇年に、『ロマン主義文学における肉体と死と悪魔』と題する浩瀚な比較文学的研究がフィレンツェで上梓された。本書は一八世紀のプレロマンから一九世紀末／二〇世紀初頭のデカダンスまでのロマン派文学を渉猟し、エロティスムという観点から一貫した考察をおこなった特異な研究である。それは一九三三年に英語版が『ロマン主義的苦悩』のタイトルで出版され、一躍プラーツの名前を英語圏に轟かせることになった。その一九七〇年版への「序文」において、フランク・カーモードは次のように述べている。本書が刊行されてほぼ四〇年過ぎて、それは「古典（クラシック）」と呼ぶにふさわしい書となった。ただし、たんにアカデミックな文学史の古典としてはなく、深い洞察により、読者の社会史の、またおそらくは個人史の理解をも変えうる力をもつような種類の古典としてとらえなければならない。

一方、プラーツの生誕七〇周年を記念した論文集『友情の花輪』（一九六六年）に「ジュリア通りの魔神（ジーニ）」を寄稿したエドマンド・ウィルソンは、プラーツを英語圏文学に精通した文学批評家としてみなすのは誤解であると指摘している。プラーツは第一に「アーティスト」として理解なければならない。ただし「文学的アーティスト」というわけではなく、家具、絵画、美術品（オブジェ・ダール）の蒐集家としての成果が彼の著作の一部を形成しており、これらを関係づける術策において自らを表現するという意味で、彼は唯一無二のアーティストなのである。この事態を指し示すものとして、ウィルソンは「プラーツ風（プラッツェスコ）」という言葉を創出した。

　この「プラーツ風」が横溢しているのが、彼自身が偏愛していることを認めている「奇矯なもの（ビザッロ）」の世界であり、その一端を鮮烈に描きだしたのが『官能の庭――マニエリスムとバロックの研究』（一九七五年）であった。ボス、フランチェスコ・コロンナ、ボマルツォの庭、トマス・ブラウン、G・B・バジーレ、ピアンタ、サクロ・モンテの礼拝堂、ズンボ、ヤン・ブリューゲルなどが、ラビュリントス、グロテスク、カプラローラ、フォンテーヌブロー派、エンブレム文学とともに語られ、タッソ、ベルニーニ、ルーベンス、カラヴァッジョ、グエルチーノに新しい光があてられ、プラハ、ボヘミア、メキシコ、ブラジルという異国に咲いたバロック・ロココが考察される。綺想（コンチェット）にあふれた作品や場所の魅力を広く知らしめたのが、このプラーツの名著『官能の庭』であった。

　プラーツの「奇矯なもの（ビザッロ）」への関心は、『イギリスにおける一七世紀主義とマリーノ主義』と『ロマン主義的苦悩』から一貫していると言いうる。そして、彼の視線が文学作品から美術作品へ拡大していくにつれて、彼の関心のありかが文学や芸術作品だけではなく、文体や素材を含めたマテリアルなオブジェにも向かっていたように思われる。そのことは、自身の住居であるパラッツォ・リッチを軸に展開される自伝的作品『生の館』に収められた八枚の室内写真や、現マリオ・プラーツ博物館の収蔵品のカタログ（ロザッタ＝フェッラリス編、二〇〇八年）からも推測しうる。

　プラーツは一九五七年にケンブリッジ大学から名誉博士号を授与された。そのおりの演説を、彼はテレンティウスに遡る「人間（homo）に関せしことで我に無縁なことひとつだに無し」という言葉で締めくくったが、むしろ「人間が造りしもの（creatura hominis）」と述べるべきであった。プラーツによれば、人間には失望することはあるが、美しいオブジェに失望することはけっしてないのだから。

（伊藤博明）

バロックの都市プラハ

チェコスロヴァキアのディイェ（ターヤ）川流域の原始林におおわれた湿地には白鹿が棲んでいる。この動物は臆病で人前に姿を見せないので、この場所を訪れる人びとはその存在に想いをめぐらせるだけで満足しなければならない。ひょっとすると鹿の色は真っ白ではなく、灰色、あるいは枯葉のような黄金色かもしれない。ちょうどフロベールが語った、病人に奉仕した聖ジュリアンの物語に登場する雌鹿のように、あるいは同じ物語の家父長と同等の権威をもった雄鹿のように。しかしこの珍しい動物とめぐりあう幸運に恵まれなくても、この森はもうひとつのかけがえのない経験を秘めている。この森は物質の変容という法則を学ぶことのできる、世界でも四、五箇所しかない場所のひとつなのである。木の葉は落ちるがままで、腐敗し、新たな生命へと変容する。この森は、ペネロペの織る、解かれてはまた紡がれる布地のように一枚のつづれ織り、「自然界の緑そのもの」であり、斧がその幹や枝に触れることはけっしてない。それは、生命を生みだす温床であり、同時に生命が朽ちる褥でもある。この移り変わりこそ、プラハという比類のない都市の運命を象徴している。

プラハには三つの建築様式が存在している。二つの様式が巧みに共存して生まれたゴシック‐バロック様式の建築、折衷された様式の巨大な一九世紀の建築、そして立方体や結晶体に想を得た現代建築である。繁栄をとげたブルジョワジーによって前世紀［一九世紀］に建てられた建造物はすべて、いまは哀れな姿をさらし、顧みられることはない。

壁は剥げ落ち、窓枠は朽ち果て、窓ガラスも大方は割れて、すべてが崩壊しつつある。その理由を説明するのは容易である。

建造物はすべて国家の所有物であり、国家は家賃をとりたてるが（成人は各自一二メートル四方、子どもは六メートル四方の空間を使用する権利を有する）、急を要する修復はおこなわれず、もし実行されたとしても、その仕事はたいそう緩慢に進められるからである。都市の中心部を占める数々の一九世紀の邸館は、諷刺画家ソール・スタインバークの『生活の芸術』（*The Art of Living*）の素描（図1）をもとにかたちづくられたように見え、モンスー・デジデリオが透視画法で描く、全体は堂々としていながら、老朽化に脅かされ、地震にたえず揺れ動く建造物（図2）を想い起こさせる。これら悩める巨大な建築は見る者の気を滅入らせるが、それに劣らず気を滅入らせるのは、灰色と壁とガラスに覆われた建築である。そしてそこには、ニューヨークの摩天楼のような上昇感も多面体の優雅さも見いだすことはない。空港からこの都市に向かう途中、はじめて訪れた人びとの眼の前に立ち現われるのはこれらの建造物である。一方は生まれながらに死んでおり、他方はその生命が潰え、うち棄てられ、憂鬱なメッセージを伝えるばかりである。それゆえ､異郷の地にある人びとは自問せざるをえない。この街は本当にロダンが「北方のローマ」と呼んだ街なのか、と。

この都市をヴィシェフラトの丘から眺めると、地平線にこの現代建築の画一化された塊が見いだされる。そして前世紀［一九世紀］に建てられ、いまや荒れ果てた邸館が並ぶヴラチスラヴァ通りのような道を通りすぎると、われわれの心はある種の悲嘆によって締めつけられる。メンフィス、パルミラ、あるいはローマの遺跡はこの悲嘆の念を伝えることはない。というのは、これらの遺跡はわれわれの時代とは完全に異なった世界に属しており、その美は独自の美として昇華しているからである。それらに対して、一九世紀のプラハの建築はあまりに近い過去を想い起こさせる。それは、万国博覧会、「ベル・エポック」、もはや存在しない帝国の時代のヨーロッパの栄光を貶める亡骸なのである。これらの建造物に映るプラハは、鏡に見入る色香の失せた女性のようであり、消え入りたい、無になりたいと

図1———ソール・スタインバーク『生活の芸術』　ニューヨーク　一九四九年

図2———モンスー・デジデリオ《スザンナと長老たち》　ナポリ　個人蔵

いう願望を全身から発散させている――あたかもディイェ川の原生林の湿地で生命が朽ちる褥のように。
　プラハでもっとも古い街区が存在しており、そしてこの町並みだけが唯一生きている。なんという生命力であろうか。プラハを知れば知るほど、訪問者の心のなかでこの街は変貌を遂げる、あたかも歴史の歩みが逆転したかのように。倒れた木の幹のように朽ちているのは現代であり、それにかわって新しい生を享けたのはプラハのより古い生命なのである。すなわち、ゴシックとバロックの都市プラハは、われわれにより近い時代に起こった無益な改変から解き放たれて、その永遠の青春を歌いあげる。そしてその声は、死に絶え、誤りの生を享けた建造物や街路があげる苦しげで憂鬱な叫びをおおい、埋葬の哀歌を栄光の讃歌に変えるのである。たしかに一般的な建造物は荒れるがままにしたとはいえ、歴史的な建造物だけは保存し修理を心がけ、崩壊や死の予兆から護ったこの正しい判断は国家によるものである。
　ローマ、このバロックの揺籃の地もプラハに比べればさほどバロック的ではない。ナヴォーナ広場、サンティニャーツィオ広場、そして当然のことながらサン・ピエトロ広場が存在しなかったならば、ローマを構成するさまざまな街区のなかでいったいどこが、プラハのツェレトナー通りやネルダ通りのバロック的表情と比肩されるほどの、統一された表情をもちうるのであろうか。シエナ、モンテプルチャーノ、ヴェネツィアの「大運河」、ジェノヴァのガリバルディ通りなど、これら過去の輝かしい遺産を想い起こしても、プラハの栄光はそれらと肩を並べ、あるいはそれらの影を薄くする。
　一六三〇年から一七八〇年のあいだのプラハは、ゴシックという中世の武具の上にバロックとロココの華やかな衣裳をまとっていた――まさに公式の肖像画のなかではいまだに甲冑を身につけてはいたが、鬘をかぶり、宝石とリボンで豪華に飾りたてられた壮麗な衣服をまとう一八世紀の君主や将軍たちのように。構造上の論理的な構成は後期ゴシックの時代からすでに排除され、プラハ城のヴラジスラフ・ホール（図3）やクトナー・ホラの聖バルバラ聖堂の天井（図4）にベネディクト・リートが実現したように、穹窿天井のリヴ・ヴォールトはたんなる装飾に変わっ

図3——ヴラジスラフ・ホール　プラハ城
図4——聖バルバラ聖堂　プラハ

図5——クラドルビ修道院

図6——ストロベリー・ヒル・ハウス　イングランド　トゥイッケナム

た。それゆえ、網状に広がるリブ構造は、支持体というよりも祭礼のさいに飾りつけられる着脱可能な木々の組みあわせのように見える。そして同様にジャンバッティスタ・サンティーニは、一八世紀の最初の二、三〇年のクラドルビのロマネスク様式の聖堂をゴシック - バロックの大建造物に変えた（図5）。この改造は、ゴシック様式の継承を、伝統を重んじるという理由と趣好を求めるという理由から選んだ修道院長によって遂行された。その建造物は、イギリスのホレス・ウォルポール邸であったストロベリー・ヒルハウス（図6）の奇矯、そしてヨーロッパのほかの地域に広がるゴシック趣好の復興に先駆している。

プラハの街並みと同様にクラドゥルビでも、ふたたび花開いたゴシック様式とロココ様式はみごとに溶けあっている。クラドゥルビでは、主祭壇上のゴシック様式の尖塔はそのバロック様式の漆喰装飾と一体となり、四福音書記者を表わす翼を生やした白く輝く象徴は暗褐色もしくは金色に塗られた小尖塔のあいだを浮遊している。一方プラハでは、一八世紀の花押装飾やロカイユ装飾はゴシック様式の縁飾装飾と渾然一体と化している。

プラハではマラー・ストラナ地区だけで二〇〇もの邸館が建っている。ローマでは、邸館が月並みな建造物のあいだに隠されてしまうことがあるが、こうしたことはプラハではまず見られない。その数少ない例外のひとつがシルヴァ・タロウツァ邸（図7）であろう。この邸館は、シラーの戯曲『ヴァレンシュタイン』（*Wallenstein*）のなかに登場するオッタヴィオ・ピッコローミニの同名の子孫のために、キリアーン・イグナーツ・ディーンツェンホーファーがブレンタに建造した別荘のひとつのように、屋根に数多くの彫像を冠している。この宮廷の中庭は、いまは荒れ果てているが、昔日のバロックの名残りをとどめる木々のあいだにしつらえられた一軒のレストランへと続いている。ところが、プラハの曲がりくねった街路のおかげで、これ以外の邸館の美しい眺めはすべて目にとらえることができ、あたかもバロックの画家が描く絵画に表わされた美しく挑発的な女性のように、われわれの目を楽しませてくれる。数え尽くせぬ邸館の名称は、大帝国の豪華絢爛たる貴族社会を彷彿とさせる。

一方、建築家としてイタリア人の名前が数多く挙げられていることは、もはや繁栄の時代が過ぎ去ってしまったイ

図7——シルヴァ・タロウツァ邸　プラハ
図8——フェルシュテン邸　プラハ
図9——アウエルシュペルク邸　プラハ
図10——ヴァレンシュタイン宮と庭園　プラハ

タリアで仕事を得る機会を失っていた彼らが、いかに異国の地でその建築の才能を発露させたかを物語るものである。ヴァルトシュタイン通りを同じ名の広場へ向かって坂を下っていく途中で出会う邸館は、フェルシュテン邸（図8）とコロヴラト邸（イニャツィオ・パッリアルディによって建てられた）、レデブル邸（同じ建築家の手になる）、パルフィ邸とアウエルシュペルク邸（図9）であり、最後に到達するヴァレンシュタイン邸は、かの有名な将軍ヴァルトシュタインあるいはヴァレンシュテインのために、ジャン・バッティスタ・マリーニ、アンドレア・スペッツァ、そしてジョヴァンニ・ピエローニが一六二三年から一六三〇年にかけて建造したものである。その庭園では、岩と石は古典主義的な規則性をもつ花園に融合し、タッソがはじめてアルミーダの庭で創案した「洗練」と「粗野」の理想的な混淆が生みだされている（図10）。

フランチェスコ・カラッティのノスティッツ邸（図11）が位置し、洗礼者ヨハネに捧げられた彫刻群像が並び立つマルタ騎士団小広場（図12）は、すでにわれわれにお馴染みのパリのフュルスタンベール広場同様の魅力を最大限に発揮している。ネルダ通りのモルズィン邸とトゥーン宮には、両家の紋章（エンブレム）と神々の像が彫りこまれている。モルズィン邸ではムーア人を表わした男性像と昼と夜の擬人像（図13）が、トゥーン宮には鷲とユピテルとユノーの像（図14）が配されている。

これらの邸館のほかに、この通りには多くの威厳ある古い邸宅が立ち並び、それらには「黄金の」という添え名をもった麗々しい名前——黄金の白鳥邸、黄金の聖杯邸、黄金の馬蹄邸——がつけられている。またこの添え名は、ほかの由緒ある街区のあちらこちら——黄金の鵞鳥邸、黄金の牡鹿邸、黄金の噴水邸——に見うけられる。メロドラマの大げさな演技を思わせる金色の聖人像や、壁に付け柱で支えられた金色に輝く小祭壇のように、黄金は教会堂を制覇している。説教壇も黄金なら、オルガンも黄金、天井の青地をくっきりと際立たせているのも黄金である。たとえば、かつてプレモントレ派の修道院に付属していた現在のストラホフ修道院の図書室（図15）で、黄金に輝く天国のヴィジョンを頭上に戴きながら、書物に没入することができる読書人はいるのであろうか。

図11——ノスティツ邸　プラハ

図12——マルタ騎士団小広場　プラハ

図13———モルズィン邸　プラハ

図14———トゥーン宮　プラハ

図15——ストラホフ修道院の図書室 プラハ

プラハの街に見いだされる家紋、表徴、寓意は、イエズス会士たちが五感への誘惑という手段によってボヘミアをカトリックの信仰にひきいれた時代にまで遡るものである。君主たちへの讃辞や学位論文は、次のような大仰で風変わりな表題を与えられ、エンブレムで飾りたてられた豪華な体裁で刊行された。『ボヘミア＝ヘルシニアのヘリコーン山――この書においてボヘミアの新王レオポルトが九つの讃辞によって誉め称えられる。高名な樅と月桂樹の婚姻は一五の象徴という持参金によって富み、神聖ローマ帝国皇帝の従者たる、いとも高名な君主ミヒャエル・フランツ・フェルディナントがアルタンに示した名誉と愛によって……』（*Helicon Boemo-Hercynius in quo Novem Applausibus coronatur Neo-Rex Boemiae Leopoldus; Illustre Abietis cum Lauro Connubium quindenis Symbolorum dotibus lucupletatum, Honori et Amori Illustrissimi Domini, Domini Michaelis Francisci Ferdinandi S. R. I. Comitis ad Althann ...*）〔図16〕。もはやバロックの戦勝記念像も柩を載せる棺台も存在しないいま、貴族も平民も存在してはならないいま、プラハの人びとは五月一日に政府が配るみすぼらしい紙の小国旗を家の窓に飾って満足している。

もし豪華絢爛たる栄華が過去の語り草になったとしても、われわれを深く感銘させるプラハのバロックの光景は残っている。それは建築家クリストフ・ディーンツェンホーファーが聖ミクラーシュ聖堂の大円蓋（バロックの大円蓋として最後のもの）と鐘塔によって創った光景で、カレル橋から眺めると、まさに凱旋入場にふさわしい威風堂々としたプラハの街の視角をわれわれに提供するかのように配置されている（図17）。ゴードン・ロジーが指摘しているように、これらの複合した建造物全体のなかに都市景観のありとあらゆる手法が要約されている。☆1

驚嘆を呼ぶ橋からの眺望、狭いアーチを通して見える切りとられた絶妙な光景、橋の上に配された彫像の前を通りすぎるときの先へと向かう前進感、遠ざかるにつれて小さく見える彫像から生じる線遠近法の効果、鐘塔の尖塔と球形の大円蓋との対照、建造物を前にして、橋の上の彫像とその前を行き来する人間の姿がかもしだすプロポーションの均整感、大空に向かってくっきりと聳える聖堂の輪郭が生みだす至高の装飾、そして最後に、霧が描きだす、橋と城門上の塔と遠くの聖堂とのあいだのさまざまに濃淡のついた灰色のグラデーションが生みだす空気遠近法。幾度と

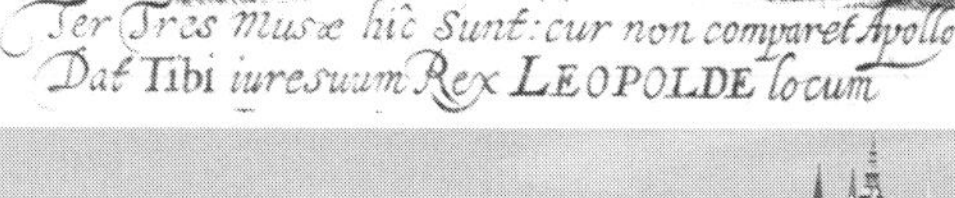

図16――『ボヘミア＝ヘルシニアのヘリコーン山』　一五五六年　プラハ

図17――聖ミクラーシュ聖堂とカレル橋　プラハ

なく言われてきたが、もしバロックの魂が演劇に存するのであるならば、このプラハの光景ほどに演劇的なものがこの世界に存在するであろうか。

（一九六八年［伊藤博明訳］）

ボヘミアとシチリアのバロック

数多くの国勢調査やさまざまな統計調査がおこなわれてきたことを考えるならば、様式別の聖堂の国勢調査があっても驚くことはない。私はいまだそのような調査を見たことがないが、カトリックからプロテスタントまで世界中のさまざまな宗派においては、一九世紀に建てられた醜悪な聖堂や礼拝堂が大部分を占めるという憂鬱な結果が生じるにちがいない。しかし、イタリアと中部ヨーロッパ、それにスペイン語とポルトガル語を話す国々を念頭におくと、バロック様式の聖堂が圧倒的に多数を占めるはずだと思うにちがいない。オーストリア、バイエルン、ボヘミア、そして南イタリアを訪ねたことがある人ならば、あるいは一九六三年に開催された「ピエモンテ地方のバロック展」を観た人ならば、いたるところにバロックが存在していると思うことができるはずである。

バロックという様式に生命を与えたのはフランチェスコ・ボッロミーニとグァリーノ・グァリーニであったが、この建築言語の革新はミケランジェロから始まった。彼はローマの・サンタ・マリア・マッジョーレ聖堂のスフォルツァ礼拝堂（図1）において——パオロ・ポルトゲージとブルーノ・ゼーヴィが『建築家ミケランジェロ』（*Michelangelo architetto*）で指摘したように——かつてだれも試みたことのない集中式の有機的構造を実験してみせた。ミケランジェロは、円蓋（クーポラ）の垂直の上昇性にかえて、帆形穹窿の表面の連続性を強調した。その結果、「円蓋の基底の緊張をはらんだ線は、ドラム［円蓋を支える円筒形の構造］の弁証法的な干渉なしに、全体を結びつけながら延長していき、その

図1——ミケランジェロ・ブオナローティ
サンタ・マリア・マッジョーレ聖堂
スフォルツァ礼拝堂
一五四六年以降　ローマ

緊張をはらんだ線は、運動が有機的構造の親密な属性となるような連続的変化のなかに溶けこんでいる。つまりその線の運動は、上と下を分離することによって騒々しく自らを表明するのではなく、有機的構造を生みだすテクスチュアの連続性のうちに、エネルギーの親密な循環として表現されているのである」。この「天蓋風の（バルダッキーノ）」構造は、とりわけキリアーン・イグナーツ・ディーンツェンホーファーの仕事を通して、おそらくボヘミアのバロックのもっとも特徴的な要素のひとつとなった。彼については、ノルウェー人クリスティアン・ノルベルク゠シュルツの賞讃に値する貴重なモノグラフィのオリジナル版がイタリアで出版されている。☆1

グァリーニの定義、「穹窿（ヴォールト）は構造物の基本となる部分である」は、付け柱が支えるシステムのなかに理想的に適用され（ボヘミア人はこれをフォアアールベルクの建築から変化させた）、それが外壁から相対的に自立した「天蓋風の」構造の自由な発展を可能にした。決定的な貢献は、並置された空間細胞の幾何学的な集合にもとづくグァリーニの作品（図2）によって果たされた。ボヘミアのバロックの第三の構成要素は、ボッロミーニのフォルム（図3）の総合的概念と、表面の連続的で動的な処理に求められる。

グァリーニの建築がその多様で変化に富んだ発展の可能性にもかかわらず、「加算的」性格を示していたのにたいして、ボッロミーニは、副次的細胞からなる構成としては解釈しえない新しい複雑な空間のフォルムを創造した。キリアーン・イグナーツ・ディーンツェンホーファーはグァリーニから出発したが、この建築家に見られる細胞の機械的な組みあわせとは異なり、それらを相互に依存させ、アーチを用いて空間のフォルムを構成することによって、脈動的な運動感が建造物全体に伝搬する有機的な構造を創造した。このような運動を増殖させるために、とりわけ各側面が内側に凹んだ八角形プランが役立てられた。つまりこのフォルムは遠心的かつ求心的、静的かつ動的な特性を理想的な仕方で結びつけるが、そこでキリアーン・イグナーツはこのフォルムをそのあらゆる可能性をきわめつくすまで徹底して利用したのである。彼の空間構成は、相互に依存する天蓋構造と定義することができ、広々とした空間の内部で自在無礙にシステム化されているように見える。

図2———グァリーノ・グァリーニ
サン・ロレンツォ聖堂円蓋　一六六七年〜九〇年
トリノ

図3——フランチェスコ・ボッロミーニ
サン・カルロ・アッレ・クアットロ・フォンターネ聖堂円蓋
一六三八年〜四一年　ローマ

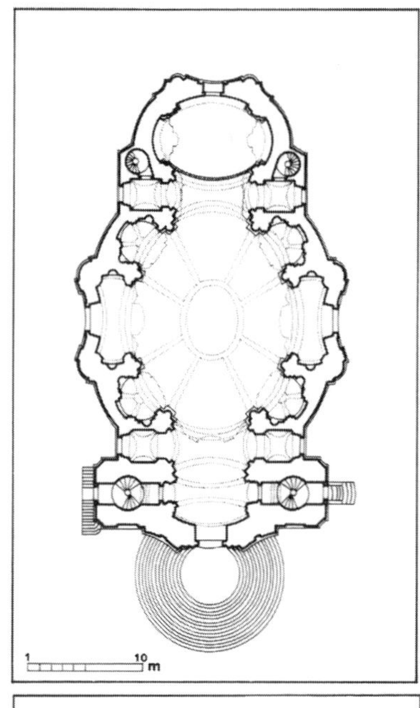

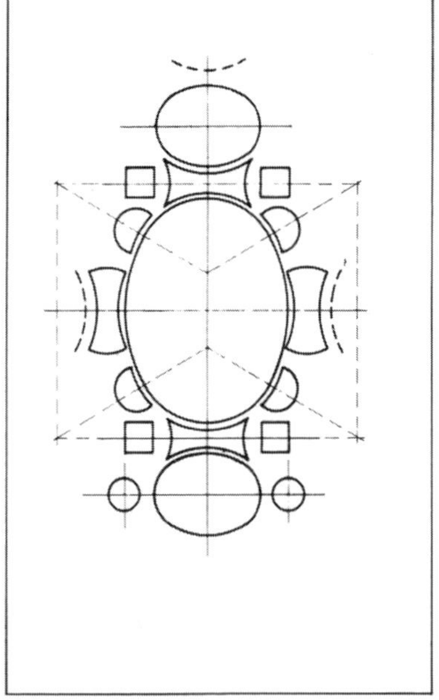

図4――キリアーン・イグナーツ・ディーンツェンホーファー
スヴァティ・マジー・マグダレニ聖堂　一七三二年～三六年
カルロヴィ・ヴァリ　チェコスロヴァキア
1――平面図（ノルベルク＝シュルツによる）
2――同　空間構成図（ノルベルク＝シュルツによる）
3――同　聖堂内部

この効果は、グァリーニが導入した釣り鐘形の大きな窓——その形態が古いミサ用の僧衣（カズーラ）に似ているところから「カズーラ風」と呼ばれる——によって、あるいは空間の周囲を自由に湾曲線を描いて経めぐる通廊（ガレリア）によって、壁に空隙をつくることでそれを非物質化するという方法を介して、骨格に還元される構造上のシステムによって達成されている。光は、線のダイナミズムを強調し、キリアーン・イグナーツ・ディーンツェンホーファーが装飾をほどこした空間内部に揺れ動く限定することのできない性格を与えている。窓は常に高い場所に、しばしば穹窿に開けられているので、光は超越的な性格を帯びる一方、建造物の骨格は空間のなかに「沈む」ようになる。チェコのカルロヴィ・ヴァリのスヴァティ・マジー・マグダレニ［聖マグダラのマリア］聖堂に見られるように（図4・1・2・3）、こうした空間の内部は、人びとを魅了する魔力を有し、自由な幻想（ファンタアジーア）の戯れという印象を与えるが、しかしその基礎にはあらゆる幾何学的形態の可能性を残らず動員した精緻このうえない論理的な枠組み（スケーマ）が存在している。きわめて幻想的な解決の根底には、システム化へ向かう合理的で古典的な態度が潜んでいる。その奇跡はあたかも雪の結晶の構造や万華鏡の組みあわせの奇跡にも似ている。

ノルベルク＝シュルツは、建築史のなかでこれほどのダイナミックな均衡に建築が達したことはなかった、と述べている。ディーンツェンホーファーの活動の初期の局面では、問題はさまざまな方向に向けられ実験されていたが、次の時期では、「名人芸的（ヴィルトゥオーソ）」な解決がロザリオの数珠のように次から次へと考案された。そして最後に第三の契機において、彼はいっそう抽象的な完成を目指したかのように思われるが、こうした傾向は、建築家であれ、シェイクスピアのような劇作家であれ、しばしば偉大な芸術家の晩年の作品に見られるものである。この最後の局面において、このボヘミアの建築家はボッロミーニに接近した。キリアーン・イグナーツの晩年の空間は、個々の空間的細胞という概念を放棄している。それは真正な総合的統一を構成しており、そこでは個々の部分は完璧に全体に統合されている。聖堂内部の全空間はひとつの波打つコーニスによって明確にされた統一体と化している。この解決はボッロミーニの空間の形態に接近しているが、しかしそれはさらに簡潔な幾何学的基礎を有しているのである。彼の総合はより抽象的なものである、そこにおいては触知性（バルバビリタ）はさほど強調されてはいない。

キリアーン・イグナーツの父クリストフ・ディーンツェンホーファーはすでに、この時代の根本的問題、すなわち集中式建築とバシリカ式建築の総合という問題に納得しうる解決を提出していたが、それは集中式風のバシリカ式建築というものであった。一方、キリアーン・イグナーツはその同じ課題にたいしてバシリカ風の集中式建築という解決を与えたのである。彼の建築は円蓋をもった南欧の古典的聖堂に、鐘塔を備えた北方のバシリカ式聖堂を結びつける結果となった。彼の作品は何人かの同時代の建築家――ヨーハン・ミヒャエル・フィッシャーとバルタザール・ノイマン――に決定的な影響を与え、彼らはキリアーン・イグナーツが示唆した可能性をいっそう発展させたのである。ラテン十字形プランおよび二軸性と集中式の支配的空間の複雑な結合が見られる聖堂の、傑作中の傑作であるバイエルンのフィアツェーンハイリゲン聖堂（図5）は、ディーンツェンホーファーの範例なくしては不可能であったであろう。

中部ヨーロッパのバロックがボッロミーニとグァリーニの伝統に従っていたのに反して、同時代の西部および北部ヨーロッパの建築はパッラーディオとベルニーニの合理主義的概念にふたたび結びついた。ノルベルク＝シュルツによれば、ただイタリアにおいてだけ、中部ヨーロッパの後期バロック建築にきわめて類似した建築が見いだされる。しかし、それはもはやローマにおいてではなく（ただしローマのあまり知られていない小さなサンタ・マリア・デッラ・ネーヴェ聖堂［図6］はディーンツェンホーファー風のファサードを有している）、ピエモンテ（そこでイタリアの一八世紀はそのもっとも独創的な表現に達した）とシチリアにおいてであった。シチリアでは、とりわけノート出身のもっとも天才的な建築家であるロザリオ・ガリアルディの作品に、空間の総合的解決と、外部へと連続する造形的フォルムへの際立った希求が見いだされる[☆2]（図7）。

彫刻家セルポッタについて言えば、彼は建築家ピアツェッタや画家ティエポロや作家メタスタジオの世代に先駆けて、その憂愁に満ちたメロドラマ的優美さを先取りしている。彼の同時代人のなかでは、興味深いことに彼は一番年

バルタザール・ノイマン
図5――フィアツェーンハイリゲン聖堂　一七四三年～七二年
バイエルン

図6――サンタ・マリア・デッラ・ネーヴェ聖堂　一六〇七年完成　ローマ

ロザリオ・ガリアルディ
図7――サン・ジョルジョ聖堂　一七四六年～六六年
ラグーザ

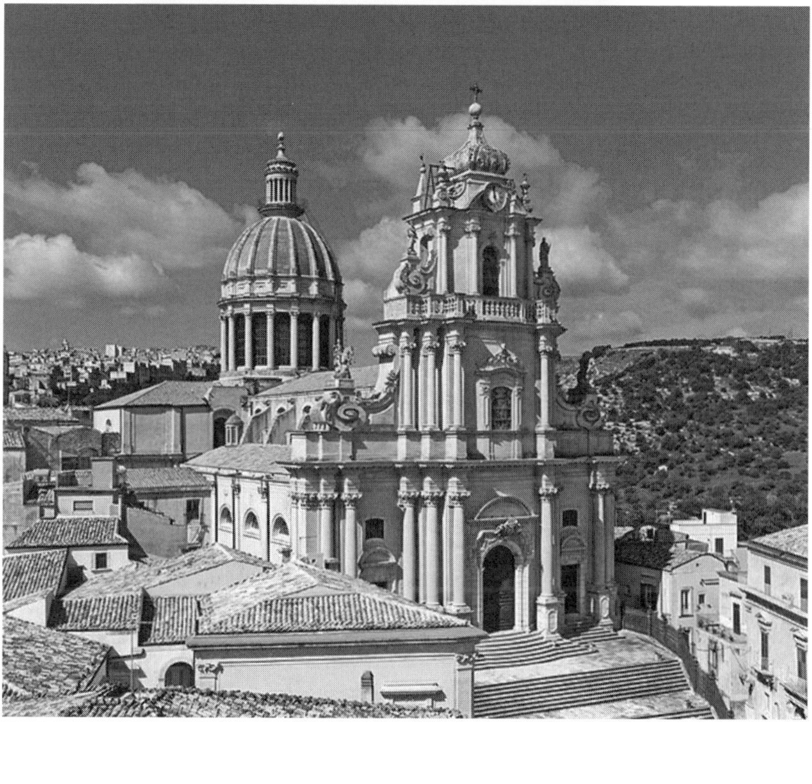

長の、芳香について論考を著わしたロレンツォ・マガロッティによく似ている。なぜなら、セルポッタの彫刻はシチリアの庭園のように薫りを放つ彫刻だからである。彼の寓意的人物像の甘美な顔から、比類なくたおやかなポーズから、純白の壁の上に花々の蕾のように並べられたプットーたちから、ジャスミンの花の薫りが立ちのぼる。

いや、むしろそれは百合の花と言ったほうがよい。というのも、百合というきわめて甘美な花が金色の葯（やく）をもっているように、セルポッタは、人物がもつ楽器――リュート、ハープ、ヴィオラ・ダ・ガンバ――あるいは仮面や棕櫚などを金色に塗ったからである。さらにこれらの人物の柔らかく、蛇状に描く輪郭は花の優美さを摸倣している。それらの燦めく微笑み――サン・ロレンツォ祈禱堂（オラトリオ）（図8）の《慈愛》（図9）像の穏やかな微笑み、サンタゴスティーノ聖堂の《穏和》（図10）像の天上的な微笑みなど――は、一度でも目にするとけっして忘れることはできない。セルポッタが装飾した祈禱堂の壁面は、ジャスミンの生け垣となり、硬石象嵌細工（ピエトレ・ドゥーレ）を象嵌したベンチとなる。それらの足下を鮮やかな色彩の花々の茂みがおおい、それはかの無垢なる楽園をとりまき、この楽園から地上への境界となっている。

しかし、このロココの先駆者は地方的な芸術家であり、彼がローマを訪れたかどうかでさえ明確ではなく、彼は当時流布していた古典期や同時代の作品の複製版画から想を得ている――彼の描いた格子の上で焼かれて殉教する聖ラウレンティウス（図11）はたしかにル・シュウールの絵画（図12）にもとづいているが、構図が左右逆になっているのはオードランの版画（図13）を介しているためである。また彼のプットー（図14）は、デュケノワのプットー（図15）に由来しており、それはティツィアーノの《ウェヌスへの奉献（アンドロス島のバッカナーレ）》（図16）まで遡ることができる。また、彼の寓意像はチェーザレ・リーパの『イコノロジーア』（図17）から採られており、彼の彫刻で表わされた小さな舞台はパレルモ大聖堂のガジーニが制作したトリビューン（図18）に由来していると同時に、タンツィオ・ダ・ヴァラッロの群像構成（図19）を想い起こさせ、ブラジルのコンゴーニャス・デ・カンポ（図20）にまでその分派が見られるほど広範な広がりを有する一族に属している。彼の彫った聖ベネディクトゥス、競技者、とびはねる軽業師などは、ミケランジェロの田舎風の衒となっている。

このように、この天才的な職人は、自ら研究に専念したこともなく、解剖学と遠近法を不可思議な自由さで操り、あらゆるジャンルからモティーフを盗用しているために、ある観点から見れば彼のある種の着想は新古典的な趣きを呈するのである。この多産で有能きわまりない技巧家は、漆喰（ストゥッコ）という極度に壊れやすい素材とその上に照りつけるシチリアの陽光の戯れから、美術史上もっとも華やかなお伽話を創造したのである。

建築や室内彫刻においては、ある様式（スタイル）が社会的に流布するという幸運はまたその不幸でもある。つまり、ある体制やある階級によって、そのメッセージや地位を象徴するものとして用いられた結果、スタイルはそれ自体の自然な開花の期間を超えて永らえることになり、スウィフトの言葉を借りれば「不死の死者」（struldbrug）と言うことができる。たとえばアンピール様式にとって、それが宮廷や王宮、さらには葬礼といった国家的ヒエラルキーと同一視されたことほど被害をこうむったことはなかった。このような場合には、あるスタイルが、一八世紀の宮廷服がそこに結晶した燕尾服のように、そしてルネサンスの貴族の婦人の衣服を摸倣したある女子宗教教育教団の僧服のように、儀式用の衣裳となる。

あるいは、あるスタイルが民衆のあいだに広まり、かつては貴族の衣服であったものが地方的な衣裳となり、ある階層、ある職能といった常に社会的表現をともなう環境のなかでフォークロア的な言語――一八世紀風のズボンと色がわりの燕尾服を着た従僕や、タキシードに身を包んだ召使いやオーケストラの楽員――となる。ただ異なっているのは、ひとたび民衆のあいだに広まると、あるスタイルは気紛れな変容を遂げ、もはや厳格な作法にしたがうことなく、後世の文献学者や気どった趣味人にとっては魅惑的な、特殊な語法や逸脱が許容されるようになることである。メキシコのバロック、ブラジルのロココは、けっして王宮において用いられたアンピール様式や公式レセプションでの燕尾服のような死語ではなく、むしろそれ自体が独自のスタイルであったラテン語の俗化したものである。しかし

左ページ上
ジャーコモ・セルポッタ
図11——《聖ラウレンティウスの殉教》　一七〇三年
パレルモ　サン・ロレンツォ祈祷堂

ジャーコモ・セルポッタ
図8——サン・ロレンツォ祈禱堂の装飾　一七〇六年
図9——《慈愛》　一七〇六年
パレルモ　サン・ロレンツォ祈禱堂
図10——《穏和》　一七二〇年
パレルモ　サンタゴスティーノ聖堂

ジェラール・オードラン
図13———《聖ラウレンティウスの殉教》 一六八六年
『メルキュール・ド・フランス』一六八六年六月

ウスタッシュ・ル・シュウール
図12———《聖ラウレンティウスの殉教》 一七世紀
ケタリング ボートン・ハウス

図14——ジャーコモ・セルポッタ
〈プットーたち〉一七〇六年
パレルモ　サン・ロレンツォ祈禱堂

図15——フランソワ・デュケノワ
《プットーたちのバッカナーレ》一六二〇年
ローマ　ドーリア=パンフィーリ美術館

図16——ティツィアーノ・ヴェチェッリオ
《ウェヌスへの奉献》一五一八年～一九／二〇年
マドリード　プラド美術館

図17——チェーザレ・リーパ
〈慈愛〉『イコノロジーア』一六〇三年
ローマ

図18——アントネッロ・ガジーニ
パレルモ大聖堂トリビューン　一五〇九年〜七四年
パレルモ

図19――タンツィオ・ダ・ヴァラッロ
《手を洗うピラト》 一六一八年～二〇年
ヴァラッロ サクロ・モンテ 第三四礼拝堂

図20――アレイジャディーニョと工房
ボン・ジェズース・デ・マトジーニョス聖堂 一八〇二年～一八年
コンゴーニャス・ド・カンポ ミナス・ジェライス州 ブラジル

それらには、それぞれのスタイルが常に認められる。それらの栄えた年代を見て、さながら眠れる森の美女が常に若いままであることを発見して驚くように、驚かざるをえないのである。

　このことはまさしく、ジョアッキーノ・ランツァ・トマージの豊富な図版が収められた『パレルモのヴィッラ』[☆3]や、ガエターノ・ガンジのシチリア東部のバロック聖堂についての研究書について言えることである。[☆4]バロックとカトリックが同一視されるのはシチリアにおいてだけではない。ピエモンテにおいても、一九世紀までバロック式の聖堂が建てられていた。ピエモンテのバロックが最初から地方的あるいは周辺的なものであったわけではない。というのは、トリノのシンドネ聖堂礼拝堂の円蓋（図21）という驚嘆を誘う巣箱の作者であるボッロミーニ主義者のグァリーニは、幾何学的魔術の大胆さにおいては誰にもひけをとらなかったからである。

　しかしシチリアでは、バロックへの道ははるかに困難なものであった。それは過去何世紀ものあいだに民衆芸術の言語となっていた、出自を深くスペインにもつプラテレスコ様式の装飾主義に阻まれていたからである。ところでプラテレスコ様式――本来は金細工の芸術――は表面の芸術であり、バロックは深奥性の芸術である。前者はそよ風の起こすさざ波であり、後者は海の底から突きあげる強い波である。ラテン・アメリカと南イタリア――たとえばレッチェ――のバロックは、しばしば「膨張した（ソッフィアート）」プラテレスコ様式、あるいは「絵画的ケーキ（パティスリー・ピトレスク）」と呼ばれる。したがって、もしすべてのシチリアのバロックが、ガンジが指摘するように、「スペインのプラテレスコ様式の装飾が、ローマの一六世紀文化の諸要素とともに、この島のバロック的情感を表現するであろう公式の世襲財産を創出することに貢献した」のであるならば、ここでわざわざ論じる必要はない。

　アントニオ・アマートの造形したパラッツォ・ビスカリの「奇妙な柱頭、大小の男性柱、子どもや老人のアクロバティックな形姿、花綱、豊穣の角（コルヌコピア）、あらゆる種類の葉文装飾」で飾られた正面（図22）は、もはやバロックではない。それはもともと一六世紀の風貌をもつナポリの邸館（パラッツォ）が、今世紀の初頭に花文装飾をほどこしたからといって真正なリバティ様式ではないのと同様である。窓の装飾豊かなコーニスや、聖堂の身廊の荘厳な儀式用の祭礼具でおおわれ

図21――グァリーノ・グァリーニ
シンドネ聖堂礼拝堂円蓋
一六六七年〜七〇年
トリノ

アントニオ・アマート
図22――パラッツォ・ビスカリ　ファサード　大理石装飾　一七〇七年以降
カターニア

アダム兄弟(ジョン、オバート、ジェイムズ、ウィリアム)設計
図23――アデルフィ・テラス　一七六八年~七二年
ロンドン

た付け柱のように、シンメトリカルに強弱を刻む、浮彫りをほどこした平面的な付け柱をもつこの種のファサードは、ホレス・ウォルポールがロンドンのアデルフィ・テラス（図23）について語ったこと想い起こさせる。「アデルフィ・ビルディングとはいったいなんなのであろう。それは古ぼけた軍隊用の外套を身につけた、兵士の情婦のように、継ぎ目にそってレースを繞らした倉庫のようなものである」。

ところで、この皮相的な偽バロック、あるいは建物内部の装飾的なバロックが民衆芸術と同一視されたならば、また一般にシチリアにおいてバロックが裏地を表の布地とするように逆しまに解釈されたならば、この島シチリアでは真のバロックは、ある表現を、それも高度な表現を獲得することはなかったと言うほかないであろう。そして、一方にスペインの造形言語が認められるとすれば、他方にはローマの響きが聞こえるのである。たとえば、シラクーザにあるサンタ・ルチーア・アル・セポルクロ聖堂（図24）——おそらくはジョヴァンニ・ヴェルメクシオ設計——の原型は、ローマのサンティーヴォ・アッラ・サピエンツァ聖堂（図25）であり、ヴァッカリーニによるサン・ジュリアーノ聖堂（図26）およびサンタガータ聖堂（図27）は、ローマとの明白な類縁関係を示している。だが、それらの聖堂が建造されたのはいつのことだったのであろうか。前者は一七三八年から一七六〇年にかけてで、後者は一七三八年から一七六七年にかけて、つまりローマの範例からほぼ一世紀隔たっているのである。シチリアの太陽のもとで成熟した石のもつ、輝かしい色彩の恩恵を受けて、シチリアのバロック建築はカターニアのクロチーフェリ通り、シラクーザ、ノートで凱歌を奏したのである。

カターニアは、いくつもの直線的な街路によってあらゆる方向に開かれた都市である。この都市の心臓と言うべき、唯一の閉じられた街路は、世界でもっとも美しい街路のひとつであるクロチーフェリ通りである（図28）。この街路の一方の端は灰色の陸橋で区切られ、他方の端は王宮の庭園の入口で終わっている。またこの完全に閉ざされた空間のなかには、修道院と聖堂の二つの翼部と、二つの純白のバロック聖堂の翼部が舞台の袖のように斜めに軽やかに並び、修道院の窓には円を描いて前方に膨らんだ格子がはめられている。また聖堂の広い身廊には、細長い、黄金に

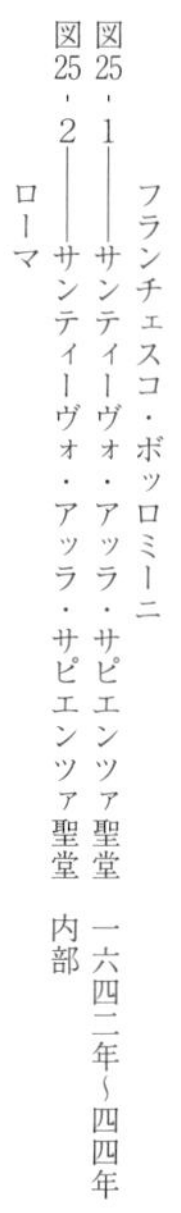

ジョヴァンニ・ヴェルメクシオ
図24・1——サンタ・ルチーア・アル・セポルクロ大聖堂（左） 一六三〇年代改築
墓地聖堂（右） 一六二九年
図24・2——サンタ・ルチーア・アル・セポルクロ大聖堂 内陣
シラクーザ

フランチェスコ・ボッロミーニ
図25・1——サンティーヴォ・アッラ・サピエンツァ聖堂 一六四二年～四四年
図25・2——サンティーヴォ・アッラ・サピエンツァ聖堂 内部
ローマ

図26——ジョヴァンニ・バッティスタ・ヴァッカリーニ
サン・ジュリアーノ聖堂　一七三八年〜六〇年
カターニア

図27——ジョヴァンニ・バッティスタ・ヴァッカリーニ
サンターガタ大聖堂　一七三八年〜六七年
カターニア

図28——クロチーフェリ通り　カターニア
修道院円形鉄格子／アーチ／聖堂ファサード

図29——テオドール・ジャコー
サン・ベネデット聖堂　オルガン　一八七七年
カターニア

塗られた格子がはめられていて、気どったロココ風の牧歌的絵画のなかの雅びなバスケットのような風情をかもしだし、この巨大なかごは、枢機卿の大きな冠を載せた、サン・ベネデット聖堂の黄金で塗られたオルガン（図29）のように見える。

しかし、このサン・ベネデット聖堂が、メッシーナの画家トゥッカリ作の折衷的でけばけばしいフレスコ画やロココ風のカルトゥーシュ装飾によって華美な内部空間を生みだすとしても、この街路の奥の庭園に繁る樹木が官能的な安らぎの音調をかもしだすとしても、また一日のある時間、空がバロック聖堂の白いファサードの上方でぬけるように青く澄みわたるときにふとヴェネツィアの街並みが想い起こされるとしても、クロチーフェリ通りを支配しているのはほとんど狂信的なまでに厳格な性格である。この街路では、エルサ・モランテが『嘘と奸策』（*Menzogna e sortilegio*）のなかで描写しているような、自分の罪を公衆の面前で懺悔している高貴な身分の婦人に出会っても驚きはしないであろう。ルネサンス期の演劇では、舞台は街路と決まっていた。クロチーフェリ通りは、いかなるロマンス、いかなる舞台にもなりうる。

もうひとつの舞台に似た環境であるサン・ニコラ聖堂の内部の、クリスタル製のモンゴルフィエ式軽気球のような新古典主義様式の、きらめく巨大なシャンデリアが吊り下げられている白い大広間は、まさにデ・ロベルトの『副王たち』（*I Viceré*）のいくつかの場面に選ばれている。たしかにクロチーフェリ通りはどこよりも厳格で狂信的である。しかし、ここの空気には柑橘類の匂いが漂っている。屋根の向こうには海が見え、海に浮かぶ船は遠い国での冒険を語っている。そして、尼僧院で美味しいお菓子がつくられることはもはやないとしても、カターニアは常に繊細で深い酷（こく）のあるアイスクリームで名高く、祭日には空気が爆竹と祝杯の響きを谺させ、魚屋の店先には胡蝶魚があふれている。この魚はピンク色の怪魚で、翼のような大きな鰭をもち、天に向かって懇願しているかのような目をもっているために、人びとは天体望遠鏡とか僧侶魚と呼んでいるが、中国の海で捕れる魚と言われている。カターニアでは、おそらくヴェネツィア以上に、西洋と東洋が踵を接しているのである。

一六九三年の地震のあとにノートを再建したのは、ガンジによれば「風景、色彩、光輝を利用することにかけて、バロックの洗練された芸術家のなかでももっとも洗練された人びと」であった。ロザリオ・ガリアルディが設計したサルヴァトーレ修道院の展望台（図30）は、これもまた一世紀のあいだをおいて、ローマのサン・カルロ・アッレ・クアットロ・フォンターネ聖堂のファサード（図31）の奇跡をくりかえしている。いくつかの重要ではない中心街にも、これらの建築家の趣好と思われる様式によって強調された、堂々たる聖堂群が建ち並んでいる。この様式とは、のちにクリストファー・レンによってロンドンの中心街（シティ）に建てられた聖堂（図32）において規格化され、また固定化されたものであるが、シチリアではバロックの原初的な過剰さを保持している。もし安易なフロイト的幻想をたくましくするならば、鐘塔において頂点をきわめる中心部の尊大な突出に、男性中心主義（ガッリズモ）の宣言を読みとることもできるであろう。

ほかの国々――たとえばブラジルやメキシコ――では、鐘塔を左右にしたがえたファサードが優勢であるが、この様式はシチリアではまれで、たとえばノートのサン・ニコロ聖堂（図33）などに例が見られるものの、あまり見栄えがするものではない。アチレアーレ市のサン・セバスティアーノ聖堂（図34）から、バディアのサンタ・ルチーア聖堂、シラクーザのサント・スピリト聖堂（図35）、カターニアの司教座聖堂（図36）、コミーゾのサンタ・マリア・デッレ・ステッレ聖堂（図37）、モディカのサン・ジョルジョ聖堂（図38）、ラグーザのサン・ジョルジョ聖堂（図39）およびサン・ジュゼッペ聖堂（図40）、シークリのサン・バルトロメオ聖堂（図41）まで、シチリアのバロック聖堂は、張りつめた喉の先端で甲高く鳴く雄鶏の歌のように、先端に鐘の音を具えた巨大な塔建築への讃歌である。さらに擬人的な空想を広げるならば、カターニア、シラクーザ、そしてノートの邸館（パラッツォ）の、豊満な持送りに支えられ、湾曲した欄干にとりまかれた華麗なバルコニーは、女性の胸部の造形的転移ではないであろうか。

一方、パレルモの別荘（ヴィッラ）の特徴的な要素となっている、二つの階段を具えた大階段（スカローネ）は、豊穣と高い地位の象徴であるが、それは女性の豊かな腹部を想い起こさせないであろうか。ほかの土地、たとえばルイジアナでは、高い円柱をも

図30――ロザリオ・ガリアルディ
サンティッシモ・サルヴァトーレ修道院　一七四七年〜五五年　展望塔（右はサン・フランチェスコ・アッリンマコラータ聖堂）
ノート

図32――クリストファー・レン
セイント・ポール大聖堂　一六七五年〜一七一〇年
ロンドン

図31――フランチェスコ・ボッロミーニ
サン・カルロ・アッレ・クアットロ・フォンターネ聖堂　一六三四年〜四〇年
ローマ

図33——ロザリオ・ガリアルディ、ヴィンチェンツォ・シナトラ
サン・ニコロ大聖堂　一六九四年〜一七〇三年
ノート

図34——アンジェロ・ベッロフィオーレ
サン・セバスティアーノ聖堂ファサード　一七〇五年〜一五年
アチレアーレ

ポンペオ・ピケラーリ
図35———サント・スピリト聖堂　一七二七年
シラクーザ

ジョヴァンニ・バッティスタ・ヴァッカリーニ
図36———サンターガタ司教座聖堂　一七一一年設計、一七三四年〜六一年建造
カターニア

図37――サントロ・セーコロ
サンタ・マリア・デッレ・ステッレ聖堂　ファサード　一九三六年
コミーゾ

図38――ロザリオ・ガリアルディ
サン・ジョルジョ大聖堂　ファサード　一七〇二年～八〇年
モディカ

図39——ロザリオ・ガリアルディ
サン・ジョルジョ大聖堂　ファサード　一七三九年〜七五年
ラグーザ

図40——ロザリオ・ガリアルディ帰属
サン・ジュゼッペ聖堂　一七〇一年〜六〇年
ラグーザ

図41——サルヴァトーレ・アリ
サン・バルトロメオ聖堂　ファサード　一九世紀初頭
シークリ

設計者不詳
図 42――――フィカラッツィ城（パラッツォ・ジャルディーナ）　大階段　一七三三年
フィカラッツィ（パレルモ近郊）

設計者不詳
図 43――――ヴィッラ・デ・コルドーヴァ　一八世紀前半
パレルモ

ニコロ・パルマ
図44———ヴィッラ・マレット　一七三六年改築　大階段　一七三九年〜四〇年
パレルモ

トンマーゾ・ナポリ（一七一二年）
G・B・カッシオーネ・ヴァッカリーニ（一七八〇年〜八三年）
図45———ヴィッラ・ヴァルグァルネラ　ファサード　大階段
バゲーリア

つ柱廊（ポルティコ）は「農園住居（プランテーション・ハウス）」の品位と威厳を表わすエンブレムになった。家屋は簡素で実用的な建築であっても、その白い柱廊が所有者の社会的地位を権威づけたのである。ルイジアナでは柱廊が果たしていた機能を、シチリアでは大階段が果たし、それはしばしば建物全体に等しいほどの面積を占めていた。柵で囲まれた素朴な農家は、貴族や富裕なブルジョワによって田舎での滞在のために使用されるようになり、階段や二階にほどこされた窓などの装飾（しばしば外装よりは室内にふさわしい装飾）がつけくわえられて、貴族的な邸宅に改造された。二階では、この地方の職人たちがさまざまな様式をほしいままに混淆し、一方、飾り気のない一階には台所と浴室が配されていた。貴族たちは従者や召使いと膝をつきあわせて暮らしていたので、中世の「ホール」がそうであったように、明確な用途をもたない部屋のなかで、彼らはいっしょに暮らしていたのである。このような封建的な社会は、一八世紀いっぱい、さらにそのあとまで続いたが、この社会は自らの仮面（マスケラ）を、大階段の上にそびえる、家紋（ステンマ）を冠のごとく載せたファサードにおいて結晶させている。それらは、フィカラッツィ城（図42）やヴィッラ・デ・コルドーヴァ（図43）、ヴィッラ・マレット（図44）のように、大言壮語を弄してはいるが、結局は臆病で保守的なひとびとのための宮廷的で荘重な舞台装置なのである。

このような社会が終焉を迎えた今日では、これらの別荘は荒廃して朽ち果て、その繊細な色彩はすっかり失われ、サフラン色の付け柱や扶壁柱で枠取りされた明るい地に漆喰を塗られたファサードは見る影もなく、入念な手入れを怠ったために漆喰装飾もただの粉末と化している。現在のシチリア社会は、おそらく過去の証言が消失したように見えることを望んでいるのであろう。この過去の唯一の気高さは何世紀も生き延びてきたということであり、それはのちに生まれた君主制や国家を軽蔑して主張され続けた閉鎖社会の感覚である。事実、最初にバゲーリアに住んだのは、かのジュゼッペ・ブランチフォルテであったが、彼は一六五八年シチリアの王位につくことに失敗して田園に退き、別荘を建ててその入口の塔の上に、「おお、宮廷よ、さらば」という銘文を刻んだ。

芸術的にいっそう価値あるヴェネト地方の別荘でさえ、そのうちのほとんどが今日では廃墟と化することから逃れ

トンマーゾ・ナポリ
図46――ヴィッラ・パラゴーニア　一七一五年着工
ヴィッラ・パラゴーニア「怪物」像　一七四九年以降
バゲーリア

ていないとすれば、いっそう質素で人びとからほとんど愛されてもいないパレルモの別荘をいったい誰が救おうとするのであろうか。これらの別荘の数は二五〇ほどにのぼると思われ、そのなかで貴族の別荘はバゲーリアの盆地に（図45）、ブルジョワの別荘はピアーナ・デイ・コッリに建てられている。貴族もブルジョワも共通の利害で結ばれていたが、後者はがいして法律家であり、訴訟事件を通して前者が支払う費用によって裕福になったのである。今日では、これらの別荘のうち五〇ほどが残存しているだけで、しかももっとも名高い別荘が崩壊しつつある。たとえばヴィッラ・パラゴーニア（図46）がそれにあたり、そこでは閉ざされた迷宮に魔法をかける石に刻まれた、ミノタウルスのような怪物が「象徴的で秘教的な堆積」（ガンジの言葉）を、またランツァ・トマージによれば、シチリアのバロックの民衆の血を騒がせた「謎めいた焦燥」を顕わにしているのである。

パラゴーニアの風変わりな当主は、ディオドロス・シクロスの「エジプトでは、ナイル川の土に照りつける太陽の光は、あらゆる種類の動物を穴から追いだすほど強烈である」という言葉に、怪物のアイディアの源泉を遡らせている。しかしこの場合、ゴヤによる「理性の眠りは怪物を産む」という言葉を引用するほうがはるかにふさわしかったであろう。というのも、シチリアは、この理性の眠りを何世紀にもわたってむさぼり続けてきたのではないであろうか。

（一九四九年［若桑みどり＋伊藤博明］）

メキシコの聖堂

もしピエモンテ地方がエキゾティックな土地として有名であるとすれば、それは一九六三年の「ピエモンテ地方のバロック展」がわれわれに示したように、一八世紀末までにこの地方のいたるところに建てられたバロック聖堂のおかげであったと思われる。また、もしロシアという国がこれほど極寒の地でなかったならば、この国でほとんどむりやりに接ぎ木された新古典主義的建築は、凍てつく空の下の相容れないオリンピア的ヴィジョンとしてこれほどまでに際立つことはなかったであろう。

メキシコの宗教建築の世界的名声の多くは、ほかのラテン・アメリカ諸国においてと同様に、このエキゾティックな土地に、ヨーロッパで生まれたモティーフが輸入されて、土着的伝統と結びついたことに由来している。その結果として、アプレイウスの技巧的ラテン語へと高められもし、また、フランチェスコ・コロンナの『ポリフィーロの愛の戦いの夢』(*Hypnerotomachia Poliphili*) の華麗な散文に見られる方言的表現へと貶められもした、粗野で気どった雅俗混淆体のラテン語にも似た造形語法を創出することになったのである。これら二つのものの比較は見かけほど奇抜なものではない。両者とも退化した混血的着想の産物であり、子どもっぽい驚愕と抑制のきかない過剰への欲求とのとめどもない耽溺を根にもつ混淆の結実である。

フランチェスコ・コロンナは、家具や建築、女性の衣服や儀式用衣裳の詳細な記述を数珠のようにつなぎあわせて、

フランシスコ・ウルタード・イスキエルド設計
図1——カルトゥジオ会修道院聖具室　一七三二年
トマス・フェレル（フレスコ画）
図2——カルトゥジオ会修道院聖具室　天蓋　一七三五年
グラナダ

頽廃した言葉の音楽の壁を高く築いたが、そこでは言葉だけが目眩く燦めくだけでなにも識別できずに終わってしまう。これと同じように、メキシコの職人たちも、円柱と持送りと柱頭を積み重ね、それぞれをまたカルトゥーシュ装飾や渦巻きやパルメットでおおい、聖人たちの多彩色の彫像や胸像を収めた壁龕や楕円形の凹みの周りには、あたかも不可思議な処刑の庭にいるかのように、黄金の枝をもつ樹木のあいだに蒼ざめて血に染まった磔刑像を立て、粗末なエッサイの樹の枝のあいだに王と預言者をちりばめている。彼らは同一の装飾パターンを眩いばかりに増殖させることで見る者を驚かせ眩惑させるのである。

四〇年ほどまえ、はじめてグラナダのカルトゥジオ会修道院（図1）を見たとき、このプラテレスコ風の要素の執拗なくりかえし、機能的ではないが装飾的で綺想に富んだバロックがこの国でまさにお誂えむきの土壌を見いだしたということがすぐにわかった。ここでは、幾何学的モティーフのくりかえしであるアラビア風の装飾から、細胞の集合や複雑なレース編みを想わせる雪の結晶に見られるように、眩暈のするような増殖のたんなる遊戯によって得られた過剰な装飾的豊穣さの原理を吸収したのである。チュリゲラによるカルトゥジオ会修道院の聖具室（図2）は、アルハンブラ宮殿のあるグラナダでのみ生まれえたのである。

これと同様に、メキシコの巨大な黄金の祭壇衝立（レタブロス）もまたインディオの民からのみ生まれえたのである。この民族はすでに偏執的な幾何学的装飾を知っていた。ミトラの宮殿には、大地、天、風を象徴する記号である雷文の浮彫り（図3）、鎧をつけた持送り、鱗、螺子（ねじ）、貝殻、魚、神秘的な神々のマスクなどが数多くとりつけられ、様式化された花冠から獰猛な蛇が首をだしているテオティワカンの小ピラミッド（図4）を想い起こさせる。なかでもとりわけ、モニュメンタルなかぶりものをつけたプレ・コロンビア時代のテラコッタ像を想い浮かべていただくとよい。たとえば、ミトラの小さな博物館に所蔵されている女神は、そのかぶりものの下から苦悩に満ちた顔をのぞかせている。この像は、六群の星々や様式化された羽根、円冠、車輪、雷紋に囲まれ、苦痛淫楽症（agonia algolagnica）に喘ぐかのように唇を開き、首の周りには重い首飾りをつけ、肩の上には、菱形、円形、猪口茸（いぐちだけ）をちりばめ、背中にはいかなる巧妙さ

図3———ミトラ遺跡の宮殿　一四～一五世紀　サン・パブロ・ビージャ・デ・ミトラ

図4———小ピラミッド（「羽毛のある蛇の神殿」）の装飾　一五〇年～二〇〇年　テオティワカン

によっても全体像を再現できそうにない中国のパズルの破片のような、複雑に曲線を描く小片を滝のように落下させている。

これらの量感をもちながらも軽やかな装飾物は、多彩色の羽根と小さな鏡でつくられた儀式用のかぶりものと好対照をなしている。二束三文で買うことのできるこの鏡は、スペイン人がインディオの宝石と交換したもので、無知なインディオにとって鏡の方が宝石よりもはるかに奇跡的なものに思えたのである。これらのかぶりもの、テラコッタ製の人間の形をした壺、ピラミッドに彫られた高浮彫りと、チュリゲラ様式の黄金祭壇のあいだには血縁関係があるように見える。輪型、車輪、雷文、葉飾りのついた柱頭、そして壁龕、カルトゥーシュ装飾、巻紙文、小さな鏡などの反復は、それらの堆積だけで人を眩惑し、魅力的な美的欺瞞として作用するのである。ここでは、視覚芸術は美食料理法と境を接し、壁面装飾は入れ墨という人間の皮膚の装飾に似たものとなる。

黄金に塗られた祭壇、魂と神の婚礼のための巨大なウェディング・ケーキ、なにも知らぬ素朴な〈魂〉と〈神的愛〉の対話のパラダイム、そこでは〈神的愛〉は黄金に塗られた至上の寄進物それ自体となり、〈魂〉は呆然自失し、請願する敬虔さそのものとなる。これらの祭壇をはじめて見ると、不意に香りを放つ花々の冠のなかに踏み迷った虫のように甘美な失神を覚えることであろう。これらの聖堂のエキゾティックな名前も、あたかも効能あらたかな薬品の神秘的な名称のように、その魔力を増幅するのに役立っている。

テポツォトランのサン・マルティン地区にあるグアダルーペの聖母の祭壇衝立（図5）は一フィート半もある長大なプレ・コロンビア時代のイヤリングのように華麗で重々しいものである。祭壇衝立の足下には松と棕櫚のエンブレムがあり、赤い天蓋の下、槍のあいだに置かれたイエスのモノグラムには、〈呪術医たち（メドゥスン・メン）〉を表わす、秘密で呪術的な言葉が隠されている。アコルマンのサン・アウグスティン修道院（図6）、そしてヌエストラ・セニョーラ・デ・オコトラン聖堂（図7）は、トラスカラにある周囲から隔絶された二つの塔をもって聳えたつ白い教会で、その純白さ、塔、孤立がオーストリアやバイエルンに見いだされるバロックの巡礼聖堂とよく似た雰囲気を感じさせる。

図5――ミゲル・カブレラ
グアダルーペの聖母の祭壇衝立
一七五六年
テポツォトラン
サン・マルティン地区
ビレイナト国立美術館

図6―――旧サン・アウグスティン修道院　アコルマン・デ・ネサワルコヨトル

図7―――ヌエストラ・セニョーラ・デ・オコトラン聖堂　一七六〇年代～八〇年代　トラスカラ

図8――ヌエストラ・セニョーラ・デ・オコトラン聖堂
身廊　一七六〇年代〜八〇年代
トラスカラ

図9———ヌエストラ・セニョーラ・デ・オコトラン聖堂　一七六〇年代〜八〇年代　トラスカラ
-1———ヌエストラ・セニョーラ・デ・オコトラン聖堂　聖母の壁龕
-2———ヌエストラ・セニョーラ・デ・オコトラン聖堂　聖母の壁龕　天井装飾

このヌエストラ・セニョーラ・デ・オコトラン聖堂の身廊（図8）の端は、凱旋門型アーチの黄金の貝殻で終わり、このアーチがさらに別のアーチや華麗に縮れた付け柱のコーニスとなっている。ピンダロス風の呼び方をすれば、これらの付け柱は「黄金の野人」ということができるであろう。またこの聖堂の至聖所（図9-1・2）の赤い地の上に浮かぶ虚ろな天使たちの頭部や葡萄蔓のからまった円柱は、鳩の周りに神秘的な彫像がひしめいている円蓋も、同じ特徴をもっている。

プエブラの近くにあるサン・フランシスコ・アカテペク聖堂（図10）は、黄、赤、トルコ青の多彩色のタイル板でできたファサードをもち、鐘塔の円柱の周りにはマヨリカ製の黄色の蛇が巻きついている。サンタ・マリア・トナンツィントラ聖堂（図11）のファサードは、地が赤で、青と黄色のタイルが嵌めこまれている。また鐘塔は赤で、左右に白い捩れ円柱を従えている。内部は青の地に大きな白と黄金の捩れ柱があり、なかには聖人像を載せた埃まみれの聖遺物箱がある。これらの聖人像のなかには、赤い長衣を慎ましくまとい、鉄の釘のかわりに丁字の木の釘を使い磔刑に処されたスペインの聖女のように繊細さをたたえ、赤い絹のリボンで木にくくりつけられた聖セバスティアヌスのように不格好な人形としか見えないものもある。

この聖堂の扉が閉まっていたので番人を探しにいくと、彼はいわばだらしのない身なりをした当地のサンチョ・パンサといった男で、塔の先端の銀色に塗られた鐘に結んである長い綱に全身でとびついたが、この綱は決められた三つの鐘を鳴らし終えるまえに切れてしまい、その切り端が中庭のレモンの木の枝に引っかかってしまった。その貧相な男が木によじ登って綱を引きおろし、鐘をふたたび三つ打つと、子どもを抱いた裸足の娘が出てきた。彼女は思春期になったばかりの年齢であったが、その子どもは番人の子ではないかと思われた。

このサン・フランシスコ・アカテペク聖堂の前庭の入口扉の前には、この荒削りだが民衆芸術のファサードにきわめてよく似合った一群の人びとが――おそらく聖パウロと聖ペトロの祝日であったせいで――集まっていたので、もしメキシコのイメージでなにがもっとも想い出に残ったかと問われれば、躊躇なくこの光景であると答えたであろ

図10——サン・フランシスコ・アカテペク聖堂 ファサード 一八世紀末 プエブラ

図11——サンタ・マリア・トナンツィントラ聖堂 ファサード 一八世紀 プエブラ

う。階段の上には襤褸をまとった三人の老いた楽師が座っていた。彼らはそれぞれ笛と真鍮製の円く小さい太鼓と空色に塗った大きな太鼓をもち、さまざまな色の襤褸――ここでは緑がかった色、薔薇色、紫色が好まれている――をまとった子どもや女たちからなる聴衆に向かって、民衆的な旋律を奏でていた。そのそばでは、プルクエ売りが、客に気の抜けた吐き気のするような飲みものを売っていた。部分的に改修された聖堂の内部には、黄金に塗られた額縁の鏡がいくつもあり、百合の花の匂いが満ちていた。オアハカのセニョール・デ・トルコルーラ礼拝堂（図12）にも見られるように、聖堂を鏡で飾るこうした風習は、単純にランプの明かりを反射させて数多く見せる必要から生じたものであろう。

チュリゲラ様式の芸術のもっとも有名なモニュメントのひとつは、プエブラのサント・ドミンゴ聖堂のロサリオ礼拝堂（図13）である。高い壁龕のなかの、黒と黄色の飾り紐のついた白い扇の下に安置されている聖母は、ほかの聖母、たとえばテポツォトランのサン・マルティン地区のアランチ回廊の近くの「象牙の部屋」（図14）にある聖母ほど印象的ではない。ここでは、大きな四つの中国製の陶器の壺のあいだに等身大の象牙の聖母が置かれているが、彼女は赤い服にトルコブルーのマントを着け、悲しみに満ちた眼をした若々しい顔を見せて、黒い髪には孔雀の尾のついた黄金の後光をつけている。この聖母はきわめて白く、古びた象牙の細いひび割れがあたかも刺すような苦しみを表わす皺のように見えるので、この黒い髪をした日本の人形のような蒼ざめた顔をした偶像にいっそう魔術的な魅力を帯びさせ、無名の芸術家の手によるほかのいかなる聖母にもまして秘教的なメッセージを伝えているように見える。

しかし、タヒコのサンタ・プリスカ聖堂の近辺で出会った村の市の陽気さはどのように言い表わせばよいのであろうか。それはメキシコ的というよりは、地中海的な陽気さである。なぜなら、このサンタ・プリスカ聖堂（図15）には、狭い石だらけの田舎の道を登ってたどりつくのであるが、そこの広場や植民地風の古い家々にはスペインを思わせるものが数多くあるからである。この聖堂は、田舎風の優雅さを欠く一九世紀の柱廊に囲まれた広場に建っているが、そこには、銀紙のように派手で安っぽい銀細工の店が立ち並んでいる。カフェのテーブルがところ狭しと置かれた並

図12——セニョール・デ・トラコルーラ礼拝堂
鏡・油彩画の内装
一七世紀～一八世紀
オアハカ州トラコルーラ・デ・マタモロス

図13——サント・ドミンゴ聖堂のロサリオ礼拝堂　一六五〇年〜九〇年　プエブラ
図14——オレンジ園回廊・象牙展示室　テポツォトラン、サン・マルティン地区、ビレイナト国立美術館
図15——サンタ・プリスカ聖堂　一七五一年〜五八年　タヒコ

木のある広場は、カプリ島の広場に似ていなくもない。サンタ・プリスカ聖堂の脇扉のひとつには、その上に嵌めこまれたラバルバロ酒の色をした石に骸骨が彫りこまれており、その頭蓋骨には緑色の黴が生えていた。

しかしそこは、珊瑚でできたパレルモの聖遺物箱のように薔薇色の彫刻群が突きだした塔や聖堂の内部を支配している凡庸な現在と高貴な過去の平然たる混淆によって、陽気な聖堂となっている（聖アントニウスが胸に抱きしめている、薔薇色の洋服を着せられた人形のようなイエスを見よ）。聖堂の側面についている壺と炎の冠を戴いたロココ風の欄干も陽気さを漂わせている。さらには、階段の上に座っている襤褸をまとった女たち（ある者は鮮やかな色の毛織りの小型絵を売っている）さえも、また頭までおおったショールのなかに病気らしい子どもを抱きしめた、悪魔払いの本を読んでいるらしい老神父の足下に跪いている母親さえも、私にはナポリのプレゼピオ［キリスト降誕の場面を人形で表わした模型］の陽気な人物ほどに悲劇的であるとは思えなかった。

タヒコはいまや観光のメッカの烙印を押され、カプリやポジターノのように、あるいはすべての魅力的な場所のように商業化されてしまった。これらの場所は、現代の交通の便利さによって、遅かれ早かれアリオストの名高い八行詩に歌われた薔薇に似たかよわい処女の運命をたどるのである。今日では、いかなる自然美も人工美もひっそりと安全に憩いを享受することはかなわない。

（一九六五年［若桑みどり・伊藤博明訳］）

熱帯のロココ様式

数少ないバロック聖堂が、藁のなかの針のように消え入る世界、それがリオである。だが、少なくとも二つの魅惑的な聖堂が存在している。それらはともに海に面しており、ひとつはミナス・ジェライス州に見られる種類の典型的な聖堂であり、もうひとつはバイア地方において支配的な様式をもつ種類の典型的な聖堂である。しかし、このように述べるとおそらくあまりに一般化しすぎることになるであろう。それはブラジルに伝えられていないはずのバロック様式が存在したかのように語ることが不適切であるのと同じである。というのは、ブラジルに宗教建築が花開くのは一八世紀であり、様式としてのロココは少なくともミナス・ジェライス州では一八三〇年頃まで続いていたからである。

ノッサ・セニョーラ・ダ・グロリア・ド・オウテイロ聖堂（図1）、すなわち私が冒頭に記した二種類の聖堂の最初のものは、母国ポルトガルで発展するいくつかの要素に先駆し、イベリア芸術をあつかった最新の研究書に従えば、その聖堂の平面図（図2）は、八角形の内側にまたもうひとつの八角形の形態を収めていて、周廊は主祭壇の背後を周り、また、身廊の壁面の中央に置かれた二つの説教壇に導くように設計されている点で前衛的であり、およそほかのどの国にも見られない様式である。[☆1]

この聖堂をはじめとして、ブラジルの聖堂の様式はまさに望遠鏡に喩えることができる。多くの聖堂で特徴的な、

図1——ノッサ・セニョーラ・ダ・グロリア・ド・オウテイロ聖堂　一七一四年〜三〇年
設計者不詳

図2——ノッサ・セニョーラ・ダ・グロリア・ド・オウテイロ聖堂　平面図
リオデジャネイロ州　リオデジャネイロ

図3——『敬虔なる欲望』第一巻　一四番
ヘルマン・フーゴ
一六二四年

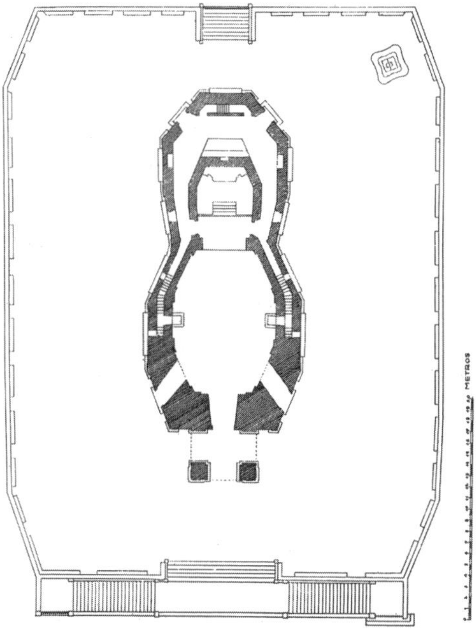

主祭壇へと通じる長く伸びる空間、すなわち祭壇内陣へと通じる空間は、たしかに望遠鏡の長い筒を思わせる。聖堂に入ると信徒たちはちょうど望遠鏡をさかさまに眺める人びとと同じ位置を占めることになる。というのもブラジルでは、通例バロック風の豪華なコーニスに支えられた主祭壇の上に壁龕がそびえ、そこではプラミッド状に壇が積み重ねられたその頂上に聖像が納められ、こうして長大で神秘的な遠近法の効果がもたらされるからである。この遠近法を建築的な手段に活用するバロック的工夫は、イエズス会士ヘルマン・フーゴが著わした『敬虔なる欲望』（*Pia desideria*, 1624）に含められたエンブレムのひとつ（第一巻一四［図3］）のなかに目にすることができる。

身廊と聖堂内陣の壁面の高いところに、通例ロココ風の窓が開けられ、豪華な欄干は「ジャカランダ［ブラジリアン・ローズウッド］」でつくられているか、あるいは金箔でおおわれており、また優雅に彫刻をほどこした木製の天幕が配されている。それらは聖堂に世俗的で艶やかな雰囲気を与えている。たとえば、ノッサ・セニョーラ・ダ・グロリア・ド・オウテイロ聖堂においては、天蓋からレースで編まれたカーテンが吊されている。さらに魅惑的な内部の白い壁から浮きだした壁面の腰板をかたちづくる青色の「アズレージョ［彩色タイル］」、幻想的な浮彫りがほどこされたローズウッドによる祭壇のロココ風のコーニス、扶壁をかたちづくる灰色の石（図4）。外のテラスは、いまは石のあいだに草が生（む）しているが、かつては――ガルネレーがジョインヴィレの王女の宝石箱に配した風景画の一枚（図5）にこのテラスからの光景を選んだときには――ここから眼下に海を眺めることができた。しかしいまは海岸線が広まったために海から遠ざかっている。

しかし船が行き来している海は、リオのもうひとつの典型的な聖堂、サン・ベント修道院の礼拝堂の窓から眺めることができる（図6）。聖遺物を納めたこの礼拝堂は、青い地の上に黄金の彩色をほどこした木製の巻き毛装飾で飾られ、その本質を表現することによって、この礼拝堂の下方に位置する大聖堂（図7）の精神を伝えている。この大聖堂は、黄金の彩色をほどこした木製のコリント様式の渦巻装飾で壁面を完全におおわれており、そのために聖堂全体があたかも脈動しているかのような、目が眩むばかりの光輝を見る者に与える。

図4——ノッサ・セニョーラ・ダ・グロリア・ド・オウテウロ聖堂　内部

図5——アンブロワーズ・ルイ・ガルネレー《一八四三年五月一日、リオデジャネイロを去るジョインヴィレ王太子夫妻》一八四四年　ヴェルサイユ　ヴェルサイユ宮

図6——レアンドロ・ジ・サン・ベント／ベルナルド・ジ・サン・ベント・コレア・ジ・ソウサ設計
サン・ベント修道院　一六五二年〜一七四二年
図7——イナシオ・フェレイラ・ピント　鍍金木彫内装　一六九四年〜一七三四年
サン・ベント修道院　付属聖体聖堂　一六三三年〜一七九八年
リオ・デ・ジャネイロ

図8——サン・フランシスコ修道院付属聖堂　一六八六年〜一七五六年
設計者不詳
図9——サン・フランシスコ聖堂　持送り
バイア州　サルヴァドール

われわれは似たようなバイアの聖堂、サン・フランシスコ聖堂（図8）が夜空に瞭然と輝くのを目にしたものである。そこでは、密生した葉と黄金の蔦のあいだにときおり多彩色の鳥やプットーたちが姿を現わし、梁を支える大きな持送りは、船の舳先にとりつけられた船首像を連想させる彩色された人物像の姿をとっている（図9）。細密画で飾られたミサ典礼書が、突然立体感をもち、量感を得て屹立した、その巨大なページの前に居合わせているような印象をたえず与えている。

聖堂が黄金という色に満ちているように、回廊と聖具室は、大部分がオットー・ウェニウスの『ホラティウスのエンブレム集』（*Emblemata Horatiana*）――スペイン語訳のタイトルは『人生の道徳劇場』（*Theatro Moral de la Vida Humana*）――から想を得た、アズレージョの青という色にあふれている。そして私は、ここで古くから知っているものを見いだして、大いに驚かされることになる。マルコ・ベネフィアルの《恋人の死体を見つける聖マルゲリータ》（図10）の構図と同じ構成を、やはりバイアにあるフランシスコ会第三会修道院の集会室の粗雑な絵画（図11）のなかに見いだしたとき、私はなんと驚かされたことであろうか。

ブラジルの聖堂はしばしば壮麗な聖具室を備えており、銀製の引き手がつけられたジャカランダ製の大きな戸棚がもっとも大切な調度品のように威容を誇っている。なかでもとりわけ荘厳な聖具室（図12）はバイアの大聖堂のもので、そこでわれわれは、そうした調度品の上部に、ブラジルを訪れて以来はじめて芸術家の名に値する画家の連作、新約聖書から題材をとった一六枚の小さな板絵を目にすることができた。その様式は、疑いもなくイタリア人の画家、それもカラッチ一族の作品にたいへん近く、この聖堂がイエズス会の寄宿舎であったときにほかの調度品とともにポルトガルから招来されたものにちがいない。

ブラジルの芸術家たちは香り高い職人芸を見せるが、そのレヴェルが典型的な職人芸を超えることは滅多にない。真の芸術家の作品と言えるのは、バイアのカルモ修道院の《円柱に繋がれたキリスト》であり、その彫像では痩せこけた肉体、首や両手に浮きだした血管がみごとに表現されている（図13）。この天空を見上げるキリストの憑かれた

図10――マルコ・ベネフィアル
《恋人の死体を見つける聖マルゲリータ・ダ・コルトーナ》一七三二年
ローマ　サンタ・マリア・イン・アラーチェリ聖堂

図11――作者不詳
《恋人の死体を見つける聖マルゲリータ・ダ・コルトーナ》
フランシスコ会第三会聖堂集会室　バイア州　サルヴァドール

図12――サルヴァドール大聖堂聖具室
新約物語油彩画連作のある長椅子
バイア州　サルヴァドール

図13――フランシスコ・ダス・シャガス（通称オ・カブラ）
《円柱に繋がれたキリスト》一八世紀　彩色木彫
ノッサ・セニョーラ・ダ・カルモ修道院付属聖堂聖具室　バイア州　サルヴァドール

図14――ジョアキン・フランシスコ・ジ・マトス・ロゼイラ
フランシスコ会聖人の壁龕　一八四九年　彩色木彫
サン・フランシスコ第三会聖堂　諸聖人の広間　バイア州　サルヴァドール

図15――サン・フランシスコ第三会修道院付属ノッサ・セニョーラ・ダス・ネヴェス聖堂内
サン・ロケ礼拝堂祭壇　一七一一年以降
ペルナンブーコ州　オリンダ

S. ELZEARIO

ような表情は、この画家がエル・グレコ、モンタニェス、ペドロ・デ・メーナの芸術と同じイベリア的血脈を継いでいることを物語っている。しかし、しばしば目にする典型的な聖人像は、なにかしらマネキンと蠟人形の混淆体のようであり、衣服をまとい、本物の毛髪を生やしている。

バイアのフランシスコ会第三会礼拝堂の壁龕のそれぞれに配されたこの宗派の聖人像は（図14）、その衣服がさらに朽ち果てていたならば、シチリアのタオルミナ近くのサヴォカのミイラ化した死体を想い起こさせたにちがいない。オリンダにあるフランシスコ会第三会の別の礼拝堂（図15）には、楕円形の壁龕のなかに、灰色、白色、薔薇色で彩られた尼僧の胸像が二体納められ、全体の外観は、子羊を象った復活祭の砂糖菓子に似ている。

ブラジルのもっとも偉大な建築家で彫刻家のアントニオ・フランシスコ・リズボアのきわめて優れた彫刻もまた職人芸のレヴェルにとどまっている。ポルトガル人の建築家と黒人の奴隷女とのあいだに生まれた彼は、「オ・アレイジャディーニョ」すなわち「不具者」の名で呼ばれていた。一七三六年に生まれ一八一四年頃に没するが、三五才のころ罹った疾病からまったく歩くことができない身体になってしまい、このことがただ腕に鑿と槌を縛りつけるだけで作品を彫ることを可能にさせたのである。この障害が彼の技術に影響をおよぼし、その作品に現代人が好む明快な構成、ときには表現主義的な特徴が刻まれたことは想像にかたくない。

オ・アレイジャディーニョ、およびブラジルのロココ美術全般を観賞するには、バイアが占めていた芸術上の主導権が一八世紀後半から移る、ミナス・ジェライス州のコンゴーニャス・ド・カンポやオウロ・プレトに赴く必要がある。これらの作品を目にするためにブラジルの原野を横切るという苦難の旅を経てはじめて、作品を正しい遠近法でとらえ、それにふさわしい環境で眺めることが可能になる。原野という言葉すら、イタリアのそれを想い起こすならば的外れのものとなる。コンゴーニャス・ド・カンポのボン・ジェズース・デ・マトジーニョス聖堂の閑散地特有の古い樹木の香りと、そして冷気を含んだ土の香りが入り混じった心地よい田舎の香りとが、ただ一度だけ私にトスカーナの原野を想い起こさせた。

この横断旅行のあいだ、荒れ果てた山々の静かで荘厳な風景から私はむしろスコットランドを想い起こしていた。ここではブラジル特有の、バーミリオンの赤、苺の赤、岩山の峡谷の鉄のような灰色、遠くに見える青色によって、山々は生き生きとした色彩を帯びている。われわれは背丈の低い植物でおおわれた土地、マタス［森林］の脇を通り過ぎ、斜面にそそりたつ背の高い木々のあいだを通り抜けた。そのなかに立つ、銀色の葉を緩歩動物が貪り食べていた木の名前は、かつて一度も耳にしたことのないものであった。

ユーカリの木は見分けることができた。ここではありふれている「鸚鵡の嘴」と呼ばれている赤い芭蕉科の植物、またココ椰子、すなわちコケイロスが目にとまった。そして黄色と赤色の花をつけるもっとも美しい木の「イペ」という名前、そして木綿のような白色と薔薇色の花をつける別の木の「パイネイラス」という名前を新たに知ることになった。これらは一年中、永遠の温室ブラジルに花開く華麗な樹木なのである。

われわれが出会ったのは、赤い小旗をもつ馬丁に率いられた、藁の籠を背負った馬の列や、長い庇のついた帽子をかぶり、青い胴着を身につけ、赤い鞍覆いに乗った黒人だけであった。コンゴーニャスに近づくにつれて、イタビリト山の鋭く尖った頂きが風景を支配しはじめた。このエキゾティックな風景のなかから、われわれの前に姿を現わした至聖所、われわれに親しい世界からかくも遠くにわれわれを誘った聖地は、遠くから見るとオーストリアやバイエルン地方でよく目にする白い「巡礼聖堂」と見えないこともなかった。

この対照が、ヨーロッパ様式の混血言語への翻案が、コンゴーニャスの聖堂とその大階段に独特の香りをもたらすのである。大げさな身振り、あるいは威厳をもったポーズをとるアレイジャディーニョの灰色の預言者像たちは、この大階段の上で輪舞を演じているかのように見えた（図16・図17）。この階段の下には黒人の乞食女が座っていたが、そのポーズはまさにルーヴル美術館に収められているブノワの《黒人女性の肖像》（図18）に描かれている美しい黒人女性そのままであり、同じ人物が年老いて襤褸をまとっているかのように見えた。

アレイジャディーニョは、はじめはたいへん細工しやすく、時が経つにつれて硬化する石「ペドラ・サバン」を用

アレイジャディーニョと工房
図16――ボン・ジェズース・デ・マトジーニョス聖堂　一七七七年〜九〇年
図17――《預言者像》一七七七年〜九〇年
ミナスジェライス州　コンゴーニャス・ド・カンポ

マリー＝ギエルミーヌ・ブノワ
図18――《黒人女性の肖像》一八〇〇年
パリ　ルーヴル美術館

図19——ボン・ジェズース・デ・マトジーニョス聖堂　小礼拝堂
ミナスジェライス州　コンゴーニャス・ド・カンポ

アレイジャディーニョ
図20——《キリストの捕縛》一九世紀
ボン・ジェズース・デ・マトジーニョス聖堂　小礼拝堂
ミナスジェライス州　コンゴーニャス・ド・カンポ

いて彫っている。この石の黄褐色と白蠟に似た灰色の二つの色彩によって、ロココ風の正面入口はあたかも黄金と銀の工芸品や細工物のような輝きが与えられている。自然の形態はしばしば様式化されて紋章のモティーフとなり、薔薇の花はあたかも朝鮮薊の蕾のように表わされる。緑青色の木の扉の豪華な枠飾りが、飾り気のない純白のファサードに与える優美さに比肩しうるものはないであろう。

至聖所から下方へと続いている小礼拝堂の数々は（図19）、十字架の道の「留（スタツィオーネ）」を表わし、そのピラミッド形に架けられた屋根は角が丸くなっている。木材に彫られ、ミナス・ジェライス州に特有な淡い色彩——緑、赤、青、アイボリーホワイト——によって彩られたこの「十字架の道」の登場人物たちの動作は、雄弁で民衆に親しみやすいものとなっている。またその顔も、あるものはきわめて穏やかであり（「オリーヴ園で祈るキリスト」などは肩も露わに人目を惹いている）、あるものは鼻が高く、目つきの険しい凄みのある形姿へと極端にカリカチュアされている（図20）。それぞれの礼拝堂のなかには、これらの人形の鼻を刺すような木の甘い香りがたちこめ、その外では燃えたつような花の咲く小さな庭が、曲がりくねって走る道に沿って続いている。道に並ぶ椰子の木の幹に巻きついている寄生植物は、百足（むかで）の姿を思わせる。「留」の一つひとつは、魔法によってメロドラマ的瞬間を静態化した、われわれにお馴染みの中世ヨーロッパのページェントのごときものである。

コンゴーニャスの風景ではイタビリト山の鋭い頂きが風景を支配していたように、オウロ・プレトの風景を律するのは小さな山をしたがえたイタロコミ山の頂きである。山と山のあいだに広がるいくつかの卓上盆地にある高台には、二つの塔をもつ白い聖堂が聳えている。道に軒を連ねる家屋は屋根が低く、しばしば緑色、藤色、黄色、薔薇色で彩られ、中央広場には騾馬がつながれている。ここでもっとも古い聖堂はファリア神父礼拝堂（図21）であり、いまでは黒人たちが住む藁小屋からなる村落の奥に隠れている。

それらの小屋からは、朽ちた木に特有な香り、蠟燭が滴る香りが漂ってくる。黒人の子どもたちは群れ集まってきて、金属の小片を黄金だと言ってさしだす（この地方の名称である「黒い黄金（オーロ・ネーロ）」は、この一帯で見つかった、黄金を含んだ小石を意味する)。その昔、黄金を求めてやってきた人びとによってこの礼拝堂は築かれたのである。礼拝堂内陣のアーチの周囲に斜向かいに位置する二つの祭壇と中央の主祭壇、これらの壮麗な祭壇に見られる黄金だけが、現在目にすることができる唯一のものである。中央の主祭壇には現代に制作された彫像が安置されているが、それはちょうどバイアのラーパ聖堂のそばにある美容院の名称、「サラォン・ジ・ベレーザ・コラサォン・ジ・ジェズース(イエスのコスメティック美容室)」のように不快なものである。

このようにルシタニア風の豪奢は、オウロ・プレトの聖堂における一般的な規則というわけではない。というのもアレイジャディーニョは、祭壇の構成を単純なものとし、華美な装飾よりも、むしろ建築と彫刻の戯れに満ちた対比を好んだからである。彼の代表作である、サン・フランシスコ・デ・アシス聖堂の後陣に設えられた礼拝堂(図22)には、残念ながら、繰り人形のような聖母像が通例のピラミッド状に重ねられた段のうえに置かれており、礼拝堂を醜悪なものにしている。しかし、ほかのすべての地と同様にここでも、無知で慎ましい信徒たちの目を奪うのはこうしたタイプの聖像である。この聖堂の聖具室で私は、磔刑後に復活したキリスト像の膝の傷痕にひとりの黒人女性が接吻しているのを目にした。そのキリスト像は、とってつけたような髭をもつ人形のような顔立ちで、聖フランチェスコを抱擁しようとわざとらしい身振りで身体をかがめている。

黒人の心にキリスト教が忍びこませた奇妙な混淆は、ひとたび「マクンバ」にたちあった人ならばだれもが理解している。私はバイアでそれに(ホテルに依頼して)たちあった(そこでは「カンドンブレ」と呼ばれていた)が、どちらかと言えば、それは見世物であって真の儀礼とは言えないものであった。しかし、バイアのボンフィン聖堂(図23)で実際に見たものはマクンバの真の儀礼であると私は信じている。

この聖堂の入口の前庭から海を眺めると、バイアでもっとも美しい光景がわれわれを魅了してやまない。デステーロの修道院(図24)の礼拝堂の窓から陸の方を眺めると、バイアでもっとも美しい陸の光景がわれわれを魅了する。しかしバイアで現代の高層建築があちらこちらに聳えているために、視界を遮らずに美しい陸の光景を見ることので

図21———ファリア神父礼拝堂（ノッサ・セニョーラ・ド・ロザリオ礼拝堂）一八世紀初頭〜一七五六年以後
ミナス・ジェライス州　オウロ・プレト

図23———ノッソ・セニョール・ド・ボンフィン聖堂　一七四五年頃〜七二年
バイア州　サルヴァドール　鳥瞰

アレイジャディーニョ
図22——サン・フランシスコ・デ・アシス聖堂　主祭壇衝立　一七九〇年〜九四年
ミナス・ジェライス州　オウロ・プレト

図24——サンタ・クララ・ド・デステーロ修道院　一六八一年〜一七二六年
バイア州　サルヴァドール

図25——ノッソ・セニョール・ド・ボンフィン聖堂
サーラ・ドス・ミラグレス礼拝堂
バイア州　サルヴァドール

きる地点は少ない。

ボンフィンのこの聖堂は、とりわけ現地の住民の信仰の中心であった。そこでは祝福のリボンが売られ、そしてカーサ・ドス・ミラグレス（と呼ばれる小さな礼拝堂）には（図25）、往年のフィレンツェのサンティッシマ・アヌンツィアータ聖堂の「奉献像（オボーティ）」のように、蠟でつくられた多くの「奉納像（エクス・ヴォート）」が天井から吊り下げられていた。白い蠟でつくられた頭部は、次から次へとあたかも死の勝利を祝うかのように列をなし、蠟の脚には多量の血膿が赤く描かれていた。けばけばしい原色の衣服に身を包んだ黒人信徒の大半が寄せる信仰心は、日曜日の午後、この聖堂に足を踏み入れた私の目にはまことに篤いものと映った。明るい緑色の衣服をまとったひとりの若い黒人女性が、蠟燭とロザリオを手にして、裸足になって身廊をひざまづきながら主祭壇まで進んでいく姿はとくに私の目に焼きついている。

そのとき私の受けた印象は、一八世紀にイタリアの聖堂で篤い信仰心の奉献を見たイギリスの旅行者の印象とさほど変わらないはずである。そしてイタリアのいくつかの地方では、いまでも私がバイアで観察したのと同じような光景が、とくに巡礼のさいには見られるであろう。結局すべては、歳月とともに過去へと追いやられてしまう。

私がある夕べにレシフェの独立広場で見た、間近に迫った共和国副大統領の選挙戦は（「われわれは正義を求める」と大きなプラカードには書かれていた）、カーニヴァルの仮装行列のようであった。それに参加した男女の若者たちは列をなし、「フレヴォ」を踊り、顔には仮面をつけ、黄色、赤色、青色の風変わりな衣装を身にまとい、頭に紙の羽飾りのついた王冠をかぶり、自らの派の旗をふりながらバンドを先頭に行進していた。ブラジルの各都市に聳える摩天楼の影でくりひろげられる、かつてはわれわれの世界に属していたさまざまな光景は、私がここに到着して以来抱き続けていた印象を確認させてくれた、すなわち、ここは世界でもっともシュルレアルな国ではないかという印象を。

（一九六〇年［伊藤博明訳］）

サクロ・モンテの礼拝堂

ボマルツォの怪物と同様に、またスクオーラ・ディ・サン・ロッコのフランチェスコ・ピアンタの木彫と同様に、ヴァラッロの聖域サクロ・モンテ——四四の礼拝堂と聖母被昇天に捧げられた聖堂から構成される巡礼地——にある「キリスト受難」を表わしたテラコッタ群像にたいする関心が、美術批評家や学識ある人びとのあいだで蘇ったのは近年になってからのことである（図1）。『エレホン』（*Erewhon*）と『万人の道』（*The Way of All Fresh*）の作者サミュエル・バトラーは、『アルプスと聖地』（*Alps and Sanctuary*, 1881）のなかで、オローパやヴァラッロの聖域の人物像が与えた印象を淡々と書き綴っている（図2・図3）。

これらの人物像はテラコッタで制作され、おおよそが等身大である。そして実物のように彩色がほどこされている。私の記憶に誤りがなければ、ヴァラッロの人物像のように、そのなかには麻やリンネルでできた毛髪をもつものもあった。そしてどの人物像を見ても、人物描写だけではなく装身具まで可能なかぎり写実的に表現することが追求されていた。

これらの人物像から彼が連想したのは、ウェストミンスター大聖堂のエリザベス女王の柩の上に表わされた彫像で

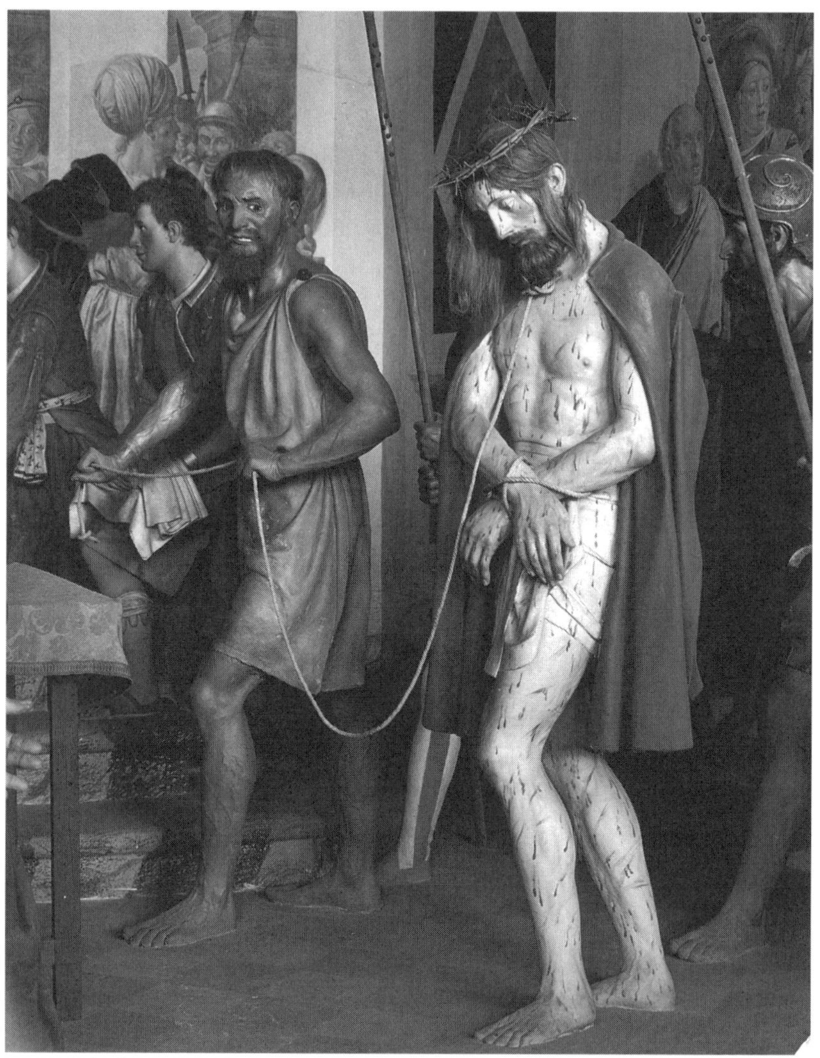

ジョヴァンニ・デンリーコ
図1――《ピラトの前に連行されるキリスト》部分　一六一七年　テラコッタ像
ヴァラッロ　サクロ・モンテ　第三四礼拝堂

図2――〈礼拝堂群〉一六一七年頃～一七二四年
オローパ　サクロ・モンテ

ジョヴァンニ・デンリーコ／ジャコモ・フェッロ
図3――《聖母の戴冠》部分　一六三三年～三九年　テラコッタ像
オローパ　サクロ・モンテ　第一二礼拝堂

DAVIDE

あり、ロンドンのチープサイドで見た一五分刻みに時を打つ時計仕掛けの自動人形であった。

こうした自動人形の機械仕掛けの身振りを知ったなら、ヴァラッロの礼拝堂と人物像を構想した人びとはおそらく妬みのあまり憤死したであろう。可能なかぎりのリアリズムを追求した彼らは、もし知っていたなら少なくともひとつかふたつの礼拝堂に時計仕掛けの動作を喜んでもちこんだことであろう。たとえば鳩時計が音をだす仕掛けを使い、聖ペテロの口から雄鶏の鳴き声を響かせるアイディアなどは熱狂的に受け入れられたであろう。このことは芸術におけるリアリズムという全体的な問題におよぶものである。それは、ここで論じるにはあまりに大きな主題である。すでに述べたように、これらの礼拝堂を設立した人びとはリアリズムを志向していた。すべての礼拝堂が絵解き（イルストラツィオーネ）であることが意図され、その狙いは信徒の目にできるだけ生き生きと光景全体が映るように提示することであった。そのために、絵画、彫刻、そして演劇的表現の効果をひとつの芸術作品にまとめあげたのである。

バトラーの観察によれば、北イタリアでは、このようなタイプの絵解きを個々の作品にほどこすだけでは満足せず、山全体をあたかも絵解きされるべき書物、あるいはフレスコ画が描かれるべき壁であるかのようにあつかったのである。そして否定しえないのは、なにはともあれヴァラッロでは「本来ならそれ相応の注目を惹きつけてしかるべき偉大な作品が生みだされたことである。実際に北イタリアで、ガウデンツィオ・フェッラーリ（一四七一／七五年〜一五四六年）により造形された二五体の等身大の彫像とそれらの背景となるフレスコ壁画が奉納された、ヴァラッロの『キリスト磔刑』の礼拝堂ほど注目に値する芸術作品があろうか」（図4）。この論評が私にヴァラッロへ赴く気持を起こさせなかったのは、おそらく、北イタリアで「もっとも注目に値する作品」と断言しておきながら、控え目でいささか冷淡な書き方であったためであろう。

図4——ガウデンツィオ・フェッラーリ／設計・テラコッタ像・フレスコ壁画《磔刑》一五一九年〜二三年　ヴァラッロ、サクロ・モンテ　第三八礼拝堂

一九六三年に「ピエモンテ地方のバロック」展を訪れたおり、当然のことながら私を釘付けにしたのは、とりわけタンツィオ・ダ・ヴァラッロ（一五七五年頃～一六三三年）のカンヴァス画であり、それも斬首された聖ヨハネを描いたものよりも、むしろダヴィデを描いた絵画であった（図5）。聖ヨハネを描いた絵画のほうは、ロマン主義時代の芸術家アントワーヌ・ヴィールツ（一八〇六年～一八六五年）の作品と、絵画の「グラン・ギニョル［怪奇残酷劇］」と呼ぶべき彼のブリュッセルの美術館を想起させる（図6）。他方、ダヴィデの、たくましい腕の筋肉の動きとは対照的な、なにかしら不安げで脅えたような女性的な表情は、タッソがはじめてイタリア文学に導き入れた、あの感情の混淆と多義性を思わせた。

そのとき私は、同じくトリノで一九五九年に開催されたタンツィオ・ダ・ヴァラッロの展覧会のことを想いだした。カタログを見ただけであったが（*Tanzio da Varallo*, a cura di Giovanni Testori, Torino, Poligrafiche Riunite, 1959）、それは、テクストにしても図版にしても、私のように奇矯（ビザッロ）なものを愛するものの頭脳の埃を吹きとばしてくれる、火のついた導火線のようであった。そこに掲載されたヴァラッロの礼拝堂の《手を洗うピラト》（図7）の情景と、《ヘロデ王の前に連行されるキリスト》（図8）の情景はすべて、いわばバロックの表現主義とも言うべき様式を具え、その雰囲気はさながら映画のワン・ショットのようである。なぜ一七世紀にこの種の作品を構成することができたのかと、私は自問したくらいである。

ただ奇矯と見えたものを、ジョヴァンニ・テストーリはカタログの序文において、まったく異なる観点から語っている。

私が思うには、カラヴァッジョが創造した肉体と絵画との物質的同一性を、これ以上ないほど近くから徹底的で完全に把握しえた画家を見いだすのは困難である。……この画家は、かくも情熱的な人間味あふれる誠実さの庇護のもとに深くつき進んだあまり、逆に権力の悪魔のごとき陰謀の虜となった血の叫びと悲嘆の声とが、彼自身

図5——タンツィオ・ダ・ヴァラッロ
《ゴリアテの首をもつダヴィデ》一六二五年頃　画布・油彩
ヴァラッロ　市立美術館

図6——アントワーヌ・ヴィールツ美術館　展示室　ブリュッセル

図7——ジョヴァンニ・デンリーコ／テラコッタ像
タンツィオ・ダ・ヴァラッロ／フレスコ壁画
《手を洗うピラト》一六一七年〜二〇年
ヴァラッロ　サクロ・モンテ　第三四礼拝堂

図8——ジョヴァンニ・デンリーコ／テラコッタ像　一六二七年頃
タンツィオ・ダ・ヴァラッロ／フレスコ壁画　一六二八年
《ヘロデ王の前のキリスト》一六二七年頃〜二八年
ヴァラッロ　サクロ・モンテ　第二八礼拝堂

図9——ヴァラッロ　サクロ・モンテ　麓から見上げた景観
図10・1——ヴァラッロ　サクロ・モンテ　巡礼路
2——ヴァラッロ　サクロ・モンテ　山頂部　カルヴァリオ礼拝堂群

の上に襲いかかったと思われる。……彼の造形は明らかに、われわれの眼を眩惑したり、一種のだまし絵（トロンプ・ルイユ）に直面させたりするのを目的としていたのではない。ここに表現されているのは、画家にただありのままの現実の証人であることを求めるだけではなく、たえずその現実を救済し続けることを求める血と臓腑の欲望なのである。そしてこの救済は、現実の単なる表現を介してではなく、現実を物質として懐抱することによって得られるのである。……触れられた物質、そして触知しうる物質。いまにも血がほとばしりでそうな、光輝に満ちかつ暗黒の物質。悲劇的なまでに真の、生ある、そして死すべき物質。……繊細なマニエリスムと荒々しいゲルマン的中世とのあいだの古典主義、言い換えれば魔法に満ちた古典主義。……ここではすべてが暗黒に浸されると同時に光り輝く身体をもち、すべてがその描かれた壁のなかから逃れでようとあがき、一瞬に生きることを、そして永遠にその一瞬に生き続けることを求めている。実際、この礼拝堂の壁画を前にして人が味わう最初の感情は、一種の実存的苦悩なのである。

こうした誘因にうながされ、ジェリコーあるいはまさにランボーを想い起こしたならば、これら奇跡のごとき礼拝堂を見るため、足に翼が欲しくなるにちがいない。

ヴァラッロの平原からサクロ・モンテの丘へロープウェイで登りながら頭に浮かんだのは、空中に吊り下げられて進むこの短い移動が、そこではあらゆることが可能であった魔術的な領域へ閾を超えていくための、日常世界からの離脱を象徴している、ということである。緑の峡谷に、隠者や聖人が棲んだ風景のなかに、曲がりくねった道に沿っていくつもの礼拝堂が次々と建てられているため、空間そのものはじつは大きくないにもかかわらず、疲労困憊を予想させ、距離が果てしなく長く感じられる（図9・図10-1・2）。それゆえ、これらカトリックの小さな宗教劇場を順を追って訪ねようとする人ははじめから嫌気がさして気が滅入るかもしれない。

タンツィオとその兄ジョヴァンニ・デンリーコ（一五六〇年頃〜一六四四年）が共同で制作した礼拝堂において、タンツィオは、生き生きとした壁面からいまにも抜けだしてきそうな人物像を描き、一方ジョヴァンニは、描かれた人物たちの四肢の一部や衣裳を必要に応じて彫刻で表現している。それゆえ宗教上のテーマは、それにふさわしい真正な彫刻、大声をあげ大げさな身振りをする操り人形、心を奪われたような顔、そして鉤状に曲がった手などで構成され、情景を彩る華やかな装置や小道具で飾られた舞台で演じられている。この二つの礼拝堂の番号は一八と三四で、奥まったところに位置しているため、埃にまみれこなごなに砕けたほかの礼拝堂の悲惨な情景を通過してはじめて、礼拝堂を護っている木製障壁の向こう側に目を凝らし、薄暗い内部を見ることができるのである。

《アダムとエヴァの楽園》に群がっている「天地創造」の動物たちに喜びはなく、アダムとエヴァも形の崩れた泥の肉体をもち、彼らを生みだした泥とふたたび一体となることを望んでいるかのように見える（図11）。そして東方の三博士の乗る馬は、一頭は赤、一頭は白、一頭はターコイズブルーで、パオロ・ウッチェッロの《サン・ロマーノの戦い》（一四三八年～四〇年頃、ロンドン、ナショナル・ギャラリー）の彩色された馬をパロディ化したものであるかのようである（図12）。

そして時の暴虐は、麻屑でつくられた髪の毛と髭から、朽ち果てつつある《嬰児虐殺》の情景に描かれたヘロデ王の残忍さにまでおよんでいる（図13）。彫刻家フェルモ・ステッラによって造形された《エジプト逃避》場面の幼児キリストは、まるまるとした肉体と艶やかな巻き毛をもち、珊瑚の首飾りをつけており、弱々しい精神で洗礼の恵みを受けたことのないロリータのようである（図14）。見るも無残なのは、小テーブル、テーブル掛け、花瓶といった調度品である。多くの情景に登場するこれらの調度品は、配慮の足りない後世の人びとによって修復をほどこされはしたが、季節の巡りがもたらした損傷をまぬがれていない。

ブラジルのコンゴーニャスにあるアレイジャディーニョ（一七三〇／三八年～一八一四年）の同じような彩色彫刻群は、乾燥した気候ゆえか、本来の威厳をはるかによく保っているが、ここヴァラッロでは、厳しい環境上の理由からいたるところが崩壊している。そのため、聖なる表現はことごとく魅力を損なわれてしまった（父祖ヤコブの夢に現われる

図11――ガレアッツォ・アレッシ／設計
タバッケッティ／テラコッタ像　一五九七年～九八年
ミケーレ・プレスティナーリ／テラコッタ像　一五九四年
《原罪》一五六五年～六六年
ヴァラッロ　サクロ・モンテ　第一礼拝堂

図12――ガウデンツィオ・フェッラーリ／テラコッタ像・フレスコ壁画
《東方三博士の礼拝》一五二五年～二八年
ヴァラッロ　サクロ・モンテ　第五礼拝堂

図13――バルニョーラ／デラコッタ像　一五八八年～八九年
ミケーレ・プレスティナーリ／テラコッタ像　一五九三年～九四年
フィアミンギーニ兄弟／フレスコ壁画　一五九〇年～九八年
《嬰児虐殺》
ヴァラッロ　サクロ・モンテ　第一一礼拝堂

図14——逸名彫刻家／テラコッタ像　一五八一年〜八二年
《エジプト逃避》部分
ヴァラッロ　サクロ・モンテ　第一〇礼拝堂

図15——タバッケッティ、
ジョヴァンニ・デンリーコ／テラコッタ像　一五九九年〜一六〇〇年
モラッツォーネ／フレスコ壁画　一六〇七年〜八年
キリスト、ヴェロニカ、喉の膨れたヘブライ人の部分
《カルヴァリオへの道》
ヴァラッロ　サクロ・モンテ　第三六礼拝堂

図16——〈第二八礼拝堂〉外観　ヴァラッロ　サクロ・モンテ

天使が、ただの形の崩れたマネキンであることはいかんとも信じがたい）が、一方、大鼻で喉の膨れた、冷笑を浮かべるヘブライ人の悪党面や、手にした武器にも毒々しい悪意が漲っているかのように見えるローマの兵士たちの邪悪な目つきなど、悪しき人びとの野蛮で残虐な特徴は誇張されることになった（図15）。

さて私たちは、有名な第二八礼拝堂の前にいる。そこには、遠近法で表わされた列柱と半円形広場のあいだに、さまざまな色彩でオリエント風に描かれた群衆が、映画の豪華絢爛なエキストラのように、救世主が告発されているのを聴こうとするピラトとヘロデをとり囲んで集まっている（図16・図8）。テストーリはこの光景を次のように描写している。

しかしながら、この格子ごしに見る観察者が視点を移動するやいなや、頭部、手、槍、マント、ターバン、眼つき、髪、羽根飾りが入り乱れ、現われては消え、そしてまた現われる。これらの細部は数かぎりなく、そのすべてが緊張感を生みだし、見る人をそのまま共犯者そして参加者としてまきこんでしまう。網膜に焼きつく無数の色彩、雪と氷の中間の白、不意に襲う蒼い白、渇いて肉感的な唇、あるいは固くしっかりと結ばれた乾いた唇。後景で影のように描かれた人物の顔は、前景でくりひろげられる重々しい喧騒から離れて、彼岸の一瞬を生きているかのように見える。そして、厚かましく、騒々しく、荒々しい動き、情熱的な身振り。その瞬間を見ようと群衆に加わり騒ぐ若者。詳しく描写しようとすれば、けっして終わることがないであろう。

場面の構成、受難の情景を生き生きと表現しようとかりたてる幻想、孤独な色情狂の神秘に満ちた伴侶たる幻想、それらは、信者の魂を燃えたたせるために五感に訴えた聖イグナティウス・デ・ロヨラの常套手段である。

私がある礼拝堂の前で足をとめると、調査のために礼拝堂の格子が開かれ、一人の若い女性研究者がノートをとっていた。彼女は、私が関心をもっているのを見てとると、なかに入るように招いてくれた。「ここ、このなかを見にきてください。私は恐ろしくて身が凍りました。この人物像を背後から見てください」。

袖から舞台の背後を覗くと、私も光景全体に身が凍りついた。威風堂々とした人物の行進は、突然、見るも恐ろしいハンセン病患者の群れと化したのである。片目がなく髭が半分だけの人物、足はふくらはぎを、腕は肘を欠き、背中は蜘蛛の巣と黴がはびこる空洞で、まさに乞食と悪漢の巣窟を思わせる。ちょうど、片側からは花も盛りの豊満な女性に見え、反対側からは肉をそがれた哀れな骸骨に見えるよう造形された、中世の小さな象牙彫像のように。

ヴァラッロの彫刻家たちが意図したのは、そのような「死を想え」(memento mori) ではなかった。バロックのイリュージョニスティックな美学にしたがって、見る人の眼に触れないところは仕上げを省略したにすぎない。しかし結果は同じなのである。聖なる情景を前面から描きだそうとした福音書のテクストは、ジョン・ダンによる説教のテクストに置き換えられた。

見よ、神はいかにわれわれを泥の壁で、湿った泥の壁でとりまいたのかを。それははじめ神が意図していたよりも急速に失われていく。この肉体は、壁龕に安置される粘土に、漆喰にほかならない。これこそ汝の肉体であり、それはすべて、その本性上腐敗を免れることはできないのである。……この世の眼しかもたぬ汝は、絹に包まれて歩んでいると思うにちがいない。しかし汝を包んでいるのは埋葬の白帯にすぎないのである。……肉が生きるのを汝は望んでいるであろうが、それはかなわない。なぜなら汝の肉はもはや塗り固められた埃にすぎないのであるから。

正面から見ると、人物像は壁からとびだし、生き生きとした量感あふれるものとして表現されている。背後から見ると、肉体は空洞となり、素材の粘土に、「肉体なきページェント」(insubstantial pageant) に、すなわち「肉体なきスペクタクル」(incorporeo spettacolo) に戻る。ちょうど「われわれは夢と同じ物質からできている」と述べた『テンペスト』

のプロスペローの言葉におけるように。ヴァラッロの彫刻家たちの極端なまでのリアリズムは、最終的に、われわれを非現実的な魑魅魍魎の徘徊する世界へと彷徨わせるのである。☆1

（一九六三年［上村清雄＋新保淳乃］）

官能の庭

いつの日か、誰かしらが、対象をぎっしりと詰めこんだこれらの作品、すなわち、イメージや語彙が豊富すぎる書物のあれこれについて、あまりにびっしりと事物を盛りこんだ数多くの絵画について、石珊瑚の群れのようにごちゃごちゃと込みいった彫像について、過剰に装飾された建築について、そして心をかき乱す調べに満ち満ちた音楽について書くべく、その身を捧げなければならないであろう。私の念頭に浮かぶ主な名前を挙げるならば、ポリフィーロ、マリーノ、ジョイス、ヤン・ブリューゲル、ゾファニー、ガエターノ・ズンボ、アゴスティーノ・ファゾラート、またヴェンデル・ディッターリンといった芸術家の嗜好の奥底を、いつの日か、誰かしらが探りにいかねばならないであろう。

これらの作品の多くについて、いやほとんどについて、かつてファゾラートが纏(もつ)れたグロテスク文様について語った言葉があてはまるであろう。「たとえあなたがその綺想を賞讃しかねるとしても、その大きな困難をともなった労作については感嘆したまえ」。それらは、想像力によってとらえることができず、眼によっても見てとることができないような作品、むしろ細部を個別的に、その部分だけを注意して見ていくと楽しみを見いだす作品、ところが全体として眺めれば眩暈を惹き起こし、必ずや人に嘔吐をもよおさせる作品である。こうした作品に共通する構成にはどのように対応すべきであろうか。

明らかにここで究明すべきことは、あるひとつの時代の趣好だけではなく（たしかに一七世紀はこうした趣好が際立っているとはいえ）、あらゆる時代、あらゆる民族に共通する「精神の形態（フォルマ・メンティス）」なのである。それらは、磨きぬかれた野生、あからさまな放蕩、徹底した貪欲に満ち、洗練されすぎた野蛮さを表わす作品である。すなわち芸術家は、未開人のように自ら集めた宝物を積みあげ、貪欲漢や幼い子どものようにその宝物を眺めては楽しんでいるかのようである。ここでわれわれは、結論の明白なフロイト的推論は棚上げにして先に進むことにしよう。

この問題は、一六一八年頃に描かれ、現在はプラド美術館に所蔵されているヤン・ブリューゲルが描いた一連の寓意画《五感の寓意》（図1〜5）について、ファブリツィオ・クレリチが著わした優雅な書物の図版[☆1]に目を通しているあいだ執拗に私を問い詰めた。比較的小さな画面（約縦六五センチメートル横一一〇センチメートル）のなかに、この百科全書的絵画は感覚でとらえうる全宇宙をあまねく表わしている。どの絵画のなかでもひとりのルーベンス風の女性が、画面の中央を占めてはいるものの、中心的な関心を集めるのではなく、その絵画が説明している感覚に見合った行為をしている。美味な食物を味わい、高価な品物を眺め、自分自身の胸と楽器から妙なる声と音を響かせ、小さなアモルを愛撫し接吻し、芳香を放つ花に鼻孔を寄せている。だが、彼女の身振りは、彼女の周りにひしめき彼女をとりまくあまりにも過剰な事物のなかで、なんと弱々しく無力に見えることであろうか。

その血統において生まれながらにして好事家であるファブリツィオ・クレリチは、建築家として素描家としての熟練に加えて、さらに文学的才能も兼ね具えていた。クレリチは、彼自らが敬意を払って言及しているデゼサントならばそうしたであろう仕方で、ブリューゲルの絵画の細部を事細かに記述しながら、「このうえもない芸術家」の描いた奇跡をくりかえし強調している。そのさい彼は、豪華な稀覯本から得た自らの知識も付加して文章を豊かにしている。複製には色彩が欠けているのであるが（ここで色彩がとりわけ重要であるのは、ブリューゲルの画面の構成は絵画というよりもモザイクやタピスリーに似ているように思われるからである）、これらのイメージや描写の累積的な効果は、色彩をもつものが与える効果とさして隔たってはいない。しかしその効果は、「天国の画家」と呼ばれたこの画家に期待さ

ヤン・ブリューゲル／ペーテル・パウル・ルーベンス
図1――《聴覚の寓意》一六一七年
図2――《触覚の寓意》一六一八年
図3――《視覚の寓意》一六一七年
図4――《嗅覚の寓意》一六一七年
図5――《味覚の寓意》一六一八年
マドリード　プラド美術館

図6——アルブレヒト・デューラー《メレンコリアⅠ》一五一三年～一四年

れるような至福に満ちた状態を必ずしも生みだすものではない。

実際、よく考えてみれば、この五枚の絵画に描きこまれた姉妹にも見えるような女性たちを、同じような想いに耽るポーズをとり、同じようにアモルを傍らに侍らせ、同じように多くの楽器や家財道具のただなかに埋もれ、周囲の過剰な存在に圧倒されつつある女性を、いったいどこで見かけたのであろう。このような女性像は、われわれの心のなかで、天国の雰囲気とはまったく異なるものに結びついている。むしろわれわれには、その女性像ほどに万物の儚（ヴァニタス）さと哀しみを表現しているものはないとさえ思われる。彼女の翼は折れて折りたたまれ、彼女の力なき手はコンパスをかろうじてもち、立てかけられた梯子のそばにうずくまる小さなアモルは受難の道具を支える天使たちのように見える。その女性の名前は「メレンコリア」という（図6）。ブリューゲルの楽園のような庭や宮殿に住む、味わい、眺め、聴き、触れ、嗅いでいるニンフたちよ、なんとあなたがたはあの「メレンコリア」に似ていることであろう。それはおそらく、彼女があなたがたすべての先祖であり、すなわち虚ろな瞳をもつ疲れきった女性であり、あなた方すべてが負っている究極の形象（フォルマ）であるからではないか。

ヤン・ブリューゲルの絵画は、憂鬱な君主たち、とりわけもっとも憂鬱な君主たち、すなわちスペインの君主たちの気晴らしのために描かれた。彼らはこれ見よがしにあらゆる華美な、欲望をそそる、優雅なものによって気を紛らわせようとし、それによって彼らの萎えた欲望を刺激しようとした。だが、私の考えでは、彼らはこれらの絵画を見たあとでいっそう憂鬱になったにちがいない。エル・エスコリアルの六角形の空間を薄暗く支配する、カスティーリャの緑のない広漠たる土地の空寂の叫びがいっそう身にこたえたはずである。

あるいは、美しく貴重な事物の大量虐殺を見てきたわれわれ現代人のみが、過去の誰よりも事物のもつ虚しさと儚さに気づき、ヤン・ブリューゲルの作品を崇高な遊戯として見ようとする態度をとるにいたったというわけであろうか。また同様に、この時代のもっとも代表的な詩作品、ジョヴァン・バッティスタ・マリーノの『アドーネ』が優雅さと悦楽の一覧以外のなにものでもなかったとしても、おそらく一七世紀にはそのように考えられていなかったにちがいない。

私は『アドーネ』の名を挙げたが、ついでに、文化の香炉を嗅ぎつける鋭い鼻――むしろ、サヴィーニオが正しくも喝破したように真の「鼻」――をもつファブリツィオ・クレリチが刺すような麝香の香りに気づくこともなく『アドーネ』の傍らを通り過ぎてしまったことにたいする私の驚きをつけくわえておこう。この香りは、すでにあまりに鼻につきすぎ、あまりに万人の食卓にのぼったために、とりわけて貴族的なファブリツィオ・クレリチの鼻は、一七世紀の言い回しに倣えば、この香りにたいして「無感動」に冒されていたのである。

しかしながら、事実はこうである。『アドーネ』の第六歌から第八歌にはなにが歌われているのであろうか。アドニスは愛の宮殿に付属している快楽の庭に入っていく。その庭はけっして悲惨と貧困とが立ち入ったことのない場所である。

そこで人は、悦楽と愛、そして安逸と娯楽を愉しみ、
悪運を恐れることもなく、
美しきウェヌスには美しき少年がかしずき、
その至福なる場所はあたかも天のごときものとなり、
天に似た、天にかぎりなく近いものと見える。

ウェヌスがクピドとともに住む、この天国のような庭はまさしくブリューゲルの描く天国である。またこのフランドル人の絵画に描かれた女性とアモルたちはまさしくウェヌスとクピドである。その庭は五つの菜園に分けられており、それぞれが五感のなかのひとつを象徴している。

天と諸元素は五つの体をなし、
諸感覚の数もかく創られる。
美しく燃える、燦めく星をちりばめた天球、
それは視覚のありのままの似姿、
聴覚は空気と、触覚は大地と、
たがいに調和し、たがいに照応し、
嗅覚は火と、味覚は水と、
それにもまして親しげに呼応する。

ブリューゲルの《聴覚の寓意》（図1）では、柱廊の三つのアーケードを通して広い空が見える。ところが、《触覚の寓意》（図2）の背景では、地上はわずかしか見えず、破壊された都市の臓腑を思わせるような洞窟と炉が描かれている。

アドニスは、導き手のメルクリウスの口から視覚器官についての学識ある説明を聞いたのちに、陽気な舞踊と遊戯に満ちた庭にウェヌスとともに入っていく。庭のなかの柱廊は、愛の物語やその情景を描いたあれこれの絵画で飾られている。そして、詩人マリーノはそこに描かれた絵画を示して、当時もっとも偉大な画家たち、すなわちカラヴァッジョ、ヴェロネーゼ、ティツィアーノ、ブロンズィーノ、カラッチなどに触れている。

アドニスとウェヌスの二人が庭のなかを歩いていくと、一羽のとても美しい孔雀が彼らの前に姿を見せる。ここで詩人は、孔雀についての寓話を語りはじめる。ブリューゲルもまた《視覚の寓意》（図3）のなかで、同時代のもっとも有名な画家たちの絵画を壁に吊したり、画架や家具に立てかけたりして再現し、さらに窓の空間を通して一羽の孔雀を示している。それからウェヌスがアドニスを嗅覚の庭に導いていき、メルクリウスは、その庭になにが見いだ

図1——ヤン・ブリューゲル／ペーテル・パウル・ルーベンス《聴覚の寓意》一六一七年
マドリード　プラド美術館

図2――ヤン・ブリューゲル／ペーテル・パウル・ルーベンス《触覚の寓意》一六一八年 マドリード プラド美術館

図3——ヤン・ブリューゲル／ペーテル・パウル・ルーベンス
《視覚の寓意》一六一七年
マドリード　プラド美術館

されるかを説明しながら、最初に嗅覚器官について論じる。マリーノの詩では、庭を満たす花々、香料、芳香について次のように歌われている。

はてなく続く花咲き乱れる道を、
遠く影なすかなたを見やりつついけば、
その道の端には一筋の糸のよう、
薔薇の花がさながら紅玉の鉱脈のように咲き誇る。
麗しく汚れなき花また花が
優雅と才智の織りなす絵となって、
形はさまざま色はとりどり、
かぎりなき芳香が鼻を妖しく惑わす。

柔和なシバ人、心豊かなインド人、
喜び多きアラビア人を魅了したもの。
イブラの丘、アカイアの岸辺、
アッティカの斜面が創造しえたもの。
パンカイアの菜園、イメットの草原、
コリコの畑が育みえたもの。
それらすべてを、恵み深く慈愛に満ちた星のもと、
キプロスのウェヌスが、かの園に豊かに花開かせた。

図4――ヤン・ブリューゲル／ペーテル・パウル・ルーベンス
《嗅覚の寓意》一六一七年
マドリード　プラド美術館

図5——ヤン・ブリューゲル／ペーテル・パウル・ルーベンス
《味覚の寓意》一六一八年
マドリード　プラド美術館

カッシア、マヨラナ、アモーム、イノンド、ラベンダー、タイム、麝香草、麦藁菊、金雀児、ミント、シナモン、テレピン、ミルラ、水蠟樹、アマランサス、水仙、ヒアシンス、クロッカス……。ありとあらゆる花がブリューゲルの絵画のようにマリーノの詩行のなかに詰めこまれている。庭のすべての鳥のなかで孔雀がその美しさによって際立っているように、すべての花のなかでは時計草、すなわち受難の花がこの詩のなかで特別に強調されている。この受難の花にマリーノは九行も費やしている。ファブリツィオ・クレリチの大きな光輪のような眼ならば、ブリューゲルの描く《嗅覚の寓意》（図4）の庭にもやはりそれらの花が描きこまれているかどうか、精査することができるであろう。私の眼はそれを断念せざるをえなかった。というのも、びっしりと生い茂って咲き乱れる幾相もの植物が眼を眩ませたからである。

『アドーネ』の第七歌には聴覚についての話とそれに捧げられた庭の描写がある。ここでは、四四種の鳥の奏でるシンフォニーを聴くことができる。マリーノは、博識を披瀝しながらそれらの鳥を一つひとつ説明したのち、有名なナイチンゲールとリュート奏者の腕比べのエピソードでこの説明を締めくくっている。これを受けてメルクリウスは音楽の起源について寓話的に語っている。そこへ遠くから〈音楽〉と〈詩〉という二人のニンフに先導された男女の一団がやってくるのが見える。そしてアドニスは美しい女神ウェヌスとともに、実をたわわにつけた果樹の生い茂る味覚の庭に入っていく。その庭ではニンフたちとファウヌスたちが戯れ、クピドとプロミウス［ディオニュシオス］を讃える歌をうたいながらとても美味しそうな葡萄酒を飲んでいる。

アドニスとウェヌスが愉しむ贅を尽くした饗宴では〈自然〉があらゆる味覚の快楽をふんだんに授け、〈技巧〉が料理人として〈自然〉が授ける素材を調理し、〈恩恵〉が食卓を調える。ブリューゲルの《味覚の寓意》（図5）のテーブルの上には豪奢な食器やグラスが輝き、そのなかのひとつにはアモルの誕生が描かれている。マリーノは、食欲をそそる料理にではなく、葡萄酒という陽気な血と甘美な涙を満たした壺について語るために喜んで足を止める。おそらくこれらの料理は、ヤン・ブリューゲルのようなフランドルの画家にもたらした霊感を、この詩人には授けなかったのであろう。詩人はただ二人の愛する者たちが味わったご馳走が「上品で優雅なもの」であったと述べているだけである。続いて二人は触覚の庭へと進み、そこでアドニスは悦楽の極みに達するのである。

『アドーネ』がパリで出版されたのはようやく一六二三年になってのことである。というのも、マリーノは何年にもわたってこの作品にとりくんでいて、その詩も次第に友人たちのあいだに知られるようになっていた。ブリューゲルがこれらの寓意画を描いたのは一六一八年頃であるが、すでに彼がその詩を知っていたかどうかはさして重要なことではない。画家も詩人もたいへん似た仕方で趣好の同一の契機を、流行の同一の主題を表現しているのである。その同一の主題とは諸事物のほとんど科学的総覧とも言うべきものであり、それがこれら二人の芸術家のなかで詩的感興へと姿を転じているのである。諸感覚とそれらに印象を刻みこむ諸事物をめぐる観念は、目眩く込みいったシンフォニーへと編みあげられている。感覚を刺激する諸事物は、個々の素材の輝きをあらんかぎりに誇示し、地上性をひとつとして失うこともなしに、あたかも秘儀に満ちたものへと変容している。ブリューゲルとマリーノによる静物の神格化にわれわれは立ちあっているのである。

人間の五感に仕えるのが目的である諸事物のこのスペクタクルのなかで、人間自身はその姿をほとんど消してしまっているかのようである。マリーノの魔術に満ちた庭を、ウェヌスとアドニスは影のように通り過ぎていく。人物像を描くことをほかの画家に任せるほど、ブリューゲルは人間にはほとんど興味を抱かなかった。人物像を描くことは、ブリューゲルが身を潜めることを願っていた事物の世界から彼をひきはなしかねなかったからである。さらにもう一歩進むならば、われわれはアンドリュー・マーヴェルとともに、庭が生みだす恍惚感を味わうことになるであろう。そこで諸事物は、それら自身において、それら自身のために崇拝され、感覚に仕えるという実際的な目的はほとんど姿を消してしまう。そして、事物崇拝の精神は自然そのものと化すのである。

創造されし万物を無にしつつ、
緑陰のなかの緑の思惟に帰すまで。[☆2]

（一九四六年［若桑みどり＋伊藤博明］）

ズンボが造形したペストの風景

枢機卿ジローラモ・ガスタルディが著わした、一六五六年から五七年にローマで蔓延したペストに関する浩瀚な論考に対して、ダニエル・デフォーが一六六四年から六五年のロンドンのペストをめぐる『ペスト年代記』（*The Journal of Plague Year*, 1722）でおこなったような、あるいは一六三〇年のミラノのペストに関する同時代史料の分析にもとづいて、アレッサンドロ・マンゾーニが『いいなづけ』（*I promessi sposi*, 1872）に導入したような、真に迫る細部描写を求めようとする人はおそらく失望するであろう。[☆1] 一七世紀にヨーロッパの諸都市を襲った恐ろしい疫病についての証言は、作家のペンにではなく、高名な蠟彫刻師ガエターノ・ジュリオ・ズンボ（一六五六年～一七〇一年）の木の箆（へら）に求めるべきである。フィレンツェのバルジェッロ国立美術館に所蔵されていたペストの光景を表わしたズンボの三点の作品は（鑑賞には特別の許可が必要である）、苦痛に満ちた肉体を表現しているという点では、コルマールのグリューネヴァルトの有名なキリスト磔刑図を凌駕している[☆2]（図1・図2・図3）。

シチリア生まれのガエターノ・ジュリオ・ズンボは、彩色した蠟製「人体解剖標本」の専門家として、一七〇一年にパリの王立科学アカデミーとルイ一四世に鬼気せまる頭部の解剖標本を披露し、国王よりこの標本制作の専有特許権を与えられた人物である[☆3]（図4）。彼はこの蠟による三点の恐怖に満ちた造形作品でペストのさまざまな側面を再現した。これらはシチリアの風土でなら容易に順応しえたと思われる。というのは、かの地のサヴォカ聖堂のミイラ、

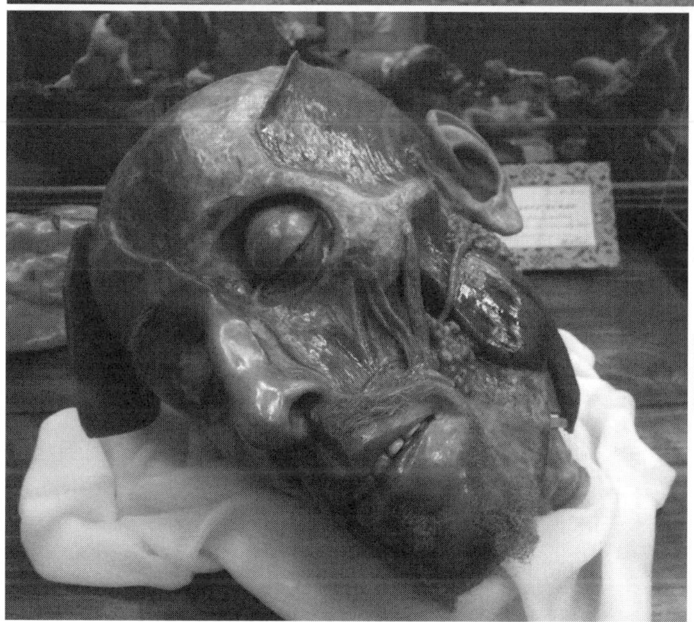

ガエターノ・ジュリオ・ズンボ
図1――《ペスト》一六八〇年～一七〇〇年　蠟　85.1×89.8×46.4センチメートル
図2――《時の勝利》一六八七年～九〇年　蠟　84.9×89.7×45.5センチメートル
図3――《人間的栄光の虚しさ（腐敗Ⅱ）》　蠟　85×89.8×46.9センチメートル
図4――《男性の頭部の解剖標本模型》彩色蠟製塑像　一七世紀末
フィレンツェ　ラ・スペーコラ自然史博物館

あるいはより有名なパレルモのカップッチーノ会修道院のミイラ、またはドン・エルコレ・ブランチフォルティ＝ピニャテッリがバゲリアの別荘の入口に「彼の慈愛と偉大さから」建立させた、厳律シトー会修道院に収められた修道士の蠟人形によく似ているからである（図5・図6）。

しかしながら、ズンボの蠟の造形は晴朗なるフィレンツェにおいても場ちがいなものではない。なぜならフィレンツェこそ、長いあいだ、歴史に残るかぎりもっとも幻想あふれる蠟人形館を有していたからである。すなわち、サンティッシマ・アヌンツィアータ聖堂内では、一七世紀の半ばごろから、「ヴォーティ（誓願成就の証）」――フィレンツェでは「ボーティ」――と呼ばれた蠟製の祈願肖像が壁面を埋めつくし、木の台の上に並べられ、天井から吊り下げられていたのである。ジョージ・エリオットことメアリー・アン・エヴァンズは、歴史資料にもとづいてその様子を再現し、歴史小説『ロモラ』（*Romola*, 1862-63）の第一四章に書き記している。その光景は中空に浮かぶ夥しい共同墓地であり、人喰い女（ラミアー）の怪物たちの恐ろしいサバトであった。というのも、高貴な家柄のフィレンツェ人、枢機卿、高名な傭兵隊長たちの祈願肖像は、時の流れとともに黄色に変色したり一部が欠けたりして、朽ち果ててしまったからである。

ズンボの群像でさえ時とともに黒ずみ、板ガラスのケースのなかで古い蠟と薄れたワニスのかすかな匂いを放つのを免れなかった。つい最近まで、バルジェッロ美術館を訪れた人びとはすべて、これら優美とは言えない超自然の驚異（プロディジオ）を目にして困惑におちいっていた。しかし『恐怖の報酬』（*Le Salaire de la peur*, 1953）や『熱狂の孤独』（*Les Orgueilleux*, 1953）のような映画の、身の毛もよだつ、真に迫ったシーンに耐えうる現代人たちは、これらの人びとのように繊細な感性をもっているのであろうか。そうした現代人であれば、蠟彫刻が古い時代の人びとに与えた衝撃的な効果をおそらく笑いとばしたことであろう。

伝えられるところによれば、ザンクト・ペテルブルクのエルミタージュ宮には、玉座のピョートル大帝を象った等身大の蠟人形があった。この人形は、創意に富んだ機械仕掛けによって恐ろしい巨体で立ちあがり、訪れる人をガラ

図5——カップッチーノ会修道院地下墓地のミイラ　一八世紀〜一九世紀
シチリア　サヴォカ

図6——〈修道士の蠟人形〉　厳律シトー会修道院　一七九七年建設
シチリア　バゲリア

スの目で射すくめた。その凝視する視線があまりに鋭かったので、ある日一人の女性が恐怖に襲われ、この模像（シュミラークロ）が置かれていた開廊で産気づいてしまった。そこで、こうした不慮の事件がくりかえし起きることのないように自動人形の仕掛けをとりはずし、玉座の上で不動の姿勢をとることが決定されたという。

　ズンボの蠟彫刻は、見る人の目が仔細に細部をとらえればとらえるほど――ただしそれにはかなりの胆力が必要であるが――さらなる驚愕を生みだす。ズンボは、署名として自分の肖像を表わした大きなメダルを〈時（テンポ）〉の擬人像の足下に置いている（図7）。ガラス・ケースのなかで赤銅色のたくましい肉体をしたこの〈時〉は、周囲の黄や黒に変色した屍体と対照をなす（図8）。この像は、想いに沈んだ、あるいは想いにやつれたと言うべき表情の、無気力な中年男性の顔をしている。墓場の場面のハムレットはこのような風情をしていたのかもしれない。

　同時代の彫刻家ジャコモ・セルポッタ（一六五六年～一七三二年）を思わせる、非の打ちどころがなく優美に造形された人体――グイド・レーニの《嬰児虐殺》を彷彿とさせる嬰児の姿にも目を向けてほしい――を血と膿でおおい、さらに腐敗が進む肉片に喰らいつく蠍、鼠、守宮（やもり）といったおぞましい動物たちをペストの情景に加えるという、骨の折れる細かな作業にズンボはよく耐えることができたものである。『ロミオとジュリエット』に描かれた、恐怖に満ちた納骨堂の光景（第四幕第一場七六行以下）は、ズンボの手によって、ほかのなによりも肉体に類似した蠟という素材において、可視化されたのである。

さては蛇の棲む叢に隠れていよとでも……
夜、身体のうえは一面に、
ガラガラと鳴る人骨や、臭気鼻をつく脛骨や、
黄色くなった顎なしの頭蓋骨などに埋もれて、
納骨堂に監禁されましょうと、それともまた、

図7——図2《時の勝利》部分〈ガエターノ・ジュリオ・ズンボの肖像〉

図8——図2《時の勝利》部分〈時の擬人像〉

できたばかりの新墓に降り立って、死人といっしょに、
経帷子の中に隠れよと……（中野好夫訳）

これは「暗黒小説」の土牢の恐怖、作家マシュー・グレゴリー・ルイス（一七七五年～一八一八年）が『マンク（修道士）』（*Monk*, 1796）のなかでアグネスに語らせる恐怖である。

しばしば私は、膨れあがってぞっとする、毒に満ちた土牢の蒸気で肥えた蟇（ひきがえる）が、そのおぞましい体を胸の上で長々と引きずるのを感じた。しばしば冷たく敏捷な緑蜥蜴が私を目覚めさせ、顔にねばねばとした足跡をのこし、もつれた髪の房の中に潜りこんだ。目が覚めると指に大きな蛆虫がからみついていることが頻繁にあった。その蛆虫は私の子どもの腐った肉から生まれでたのだ。

ズンボの光景のなかでは、廃屋の一部をなす無生物すら、周囲で進む腐敗に与している。複雑な蛇の装飾をほどこしたアンフォラ［二つの取っ手がある古代の壺］は、あたり一面に横溢した苦痛に苛まれているように見える。古代の著述家のなかで、こうした人を圧倒する恐怖の効果を生みだしたのは、叙事詩『ファルサリア』の第九巻（七九〇―八〇一行）においてアフリカの蛇に噛まれて死ぬ人びとを描写したルカヌスだけである。

四肢は膿の中を泳ぎ、ふくらはぎに流れ落ち、膝窩筋は露わになる。腰のあらゆる筋肉もまたすべて同じように溶け去り、黒い体液が鼠径部より流れ去る。腹を覆う皮は裂け、内臓が飛び散る。人には自身の体から失われたものが大地に落ちる様は見えない。恐ろしき毒はその四肢を蝕み、ほどなく毒はすべてをほぼ無に帰す。筋肉をつなぐ靭帯、脇腹の筋、鳩尾、奥に隠れた心臓の血管。人体を構成するものすべてが、悪疫の作用に晒される。

世俗的な死はその本性をあらわにする。両肩とたくましい腕はしぼみ、首も頭部も溶けてなくなる。……

ベンチヴェンニ＝ペッツリは、『フィレンツェ王立絵画館の歴史的考察』（*Saggio istorico della Real Galleria di Firenze*, 1779）のなかで、「これらのズンボの創意に富んだ作品にもし価値があるとすれば、それは他人の繊細さを傷つけて、彼の特異な能力を明示したという点であろう」と評価を下している。

先にこの蠟彫刻をめぐって「暗黒小説」を引用したが、それらを書いたイギリス人作家たちは、ズンボ作品の実物を見たわけではない。しかし、サド侯爵は実際に目にしており、『ジュリエット物語あるいは悪徳の栄え』（*Histoire de Juliette ou les Prospérités du vice*, 1797-81）のなかで、アペニン山脈のオルクス［冥界の神］たるミンスキーをめぐる逸話に続けて、次のように語っている。

この広間には、ある奇妙なしかけがほどこされていました。いくつもの死体のおさまった一個の石棺があって、死の瞬間から個体の完全な滅亡まで、肉の腐敗の各段階が順を追ってすっかりながめられるようになっているのです。気味のわるい死体は彩色された蠟細工でしたが、まるで本物以上になまなましき、真に迫るふぜいがありました。それほど強烈な印象を与えるので、この傑作をながめていると、思わず知らず、つい手を鼻にもっていきたくなってしまうのです。あたしの残忍な想像力は、この光景を大いに楽しみました。いったい、あたしの残忍性は、どれくらい多くの人間に、このむごたらしい肉体的変化をこうむらせてやったことでしょう。思い出しただけでも心が楽しくなるのですから、あたしという人間は、よくよくこうした罪悪におもむく自然の傾向を生まれながらに授かっているものと見えます。そこから遠からぬ場所に、もう一つ別の石棺があり、やはり腐った死体がながめられましたが、とくにおもしろいのは、一個の死体を抱えたまま真裸で死んでいる男がいたことです。この男は、抱えた死体を石棺の中に投げこむつもりできたのでしょうが、自分みずから臭いと光景に圧倒されて、そこに昏倒したまま死んでしまったものと見えました。さればこそ、この群像は恐るべき迫真性をおびていたのです。☆4（澁澤龍彦訳）

一八五七年にハーマン・メルヴィルは『日録ジブラルタル海峡を越えて』（*Journal up the Straits: October 11, 1856-May 5, 1857*）のなかで、ズンボの蠟彫刻の細部のいくつかを「記念のために」記録し、こう結んでいる。「道徳家なり、このシチリア人は」（Moralist, this Sicilian）。一八五八年に、もうひとりの偉大なアメリカ人作家ナサニエル・ホーソーンは次のように観察している（*Passages from the French and Itakian Notes*, 1871）。

ガラス・ケースの中には、蠟の小さな人物像によって、ペストの時代の、真にせまる恐怖に満ちた特異な光景が表わされている。それは急ごしらえの墓地、あるいは青白い肉体がまとめて投げ捨てられる穴、まさにこのうえなく汚らわしい作品である。マーリーの案内書では、たしかこれらの人物像はコジモ大公のためにつくられたと書かれていたはずである。もしそうならば、大公に暗鬱で病的な性格があったことを明らかにするものであって、けっして大公の名誉にはならない。

その数年まえ、エドモン（一八二二年〜九六年）とジュール（一八三〇年〜七〇年）のゴンクール兄弟はズンボの蠟の光景を前に足をとめ、病的な悦楽を味わっていた。☆5

蠟で造形されたフィレンツェ、ローマ、ミラノの三都市のペストの風景。その造形は驚嘆に値するが、しかしその寸法は小さいので、これらの恐怖に満ちた人物像から恐怖感は抜けおち、あたかも玩具のような趣きがかもしだされている。

フィレンツェのペストの風景。青白き肉体が折り重なって積みあげられた山は、瓶の緑から若芽の淡い緑にいたるまで、緑のありとあらゆる色調を帯びている。この山から緑錆色の傷を受けた萎えた足が突きだしている。これらの死体の真ん中に白髪の老女がおり、それはまさに白化粧の鬘をつけた緑のブロンズ像のようである。

ミラノのペストの風景では、骸骨はその体から落ちた肉の褥の上に置かれ、テラコッタのような陰翳を帯び、ペルシアの虹色の皿に戯れる青色の反射を見せている。そのかたわらには、埋葬する時間のなかったためか、別の死体が白大理石の記念墓碑の上に横たわっている。その死体は、胆汁色で、皮膚はひび割れ、あたかも果物につけられた傷のように、打たれ、押しつぶされ、口を開けている。それは血膿が滴り落ちる、目を覆いたくなるような傷口なのである。三番目の死体は、腐敗して形が崩れ、もはや人間としての原形をとどめていない。糞便とも見える塊と化した骸（むくろ）である。

ローマのペスト風景。そこには、なにやらよくわからない粘膜質の焦げ茶色のものを骨にまとっているだけの骸骨がいる。あるいはそれは、膿が石膏のように固まったチョコレート色の死体で、薄く削ぎ落された一片の大きな肉のように見える。その上を飛びまわる蠅を見ると吐き気をもよおす。一方、死体の中には蛆虫たちの姿がはっきりと認められる。これらの死骸の山は、死肉を食んで生きる不浄な動物たちが這いずりまわるのに格好な盛り上がった地面となり、毎日、時をおって解体が進められていく肉屋の仕事台を思わせる。生きていた時の肉体の形をいまだとどめている子供たちのあいだに、病んでぶよぶよとした肉体をもつ女性が横たわっている。彼女の腹は恐ろしいまでに膨れあがり、その上を一匹のネズミが這いずりまわっている[☆6]（図1・2・3・図9）。

たしかに、ゴンクール兄弟が観察しているように、ズンボの造形した人物像は寸法が小さいため、見る人はこの恐怖に満ちた光景を前にしても立ちどまることができる。しかし、これらの人物像がもし等身大に描かれていたならば、立ちどまることなどとてもできないであろう。尺度を縮小したおかげで、遊戯性が前面に押しだされ、現実からの乖

図9――図3《人間的栄光の虚しさ》部分〈女性と子供の腐乱死体と鼠〉
ヴェネツィアの蠟人形作家
図10――《子供の蠟人形》一八世紀
ヴェネツィア　パラッツォ・モチェニーゴ博物館

離が可能となるのである。さもなければ、これらの蠟の造形は、このジャンルの芸術に本来具わっている強迫観念を人びとに植えつける力を最大限に発揮できたはずである。蠟の造形を前にすると、たとえズンボのそれのように恐怖に満ち満ちた性質のものでなくとも、たとえそれが純真無垢な子どもの姿に造形したもの——たとえば、ヴェネツィアのカ・レッツォーニコ所蔵のガラス箱に収められた一八世紀の蠟彫刻（図10）に見られる子どもの青白さと強烈な目つきは、ヘンリー・ジェイムズの『ねじの回転』（*The Turn of the Screw*, 1898）に登場する亡霊に憑かれた子どもたちを思いださせる——であっても、われわれをとらえるあの精神的な困惑については、オルテガ・イ・ガセットの観察を引用すべきであろう。☆7

マネキン人形たちがかもしだす困惑感は、それらが惹き起こす両義性に由来している。この両義性のために、明晰で理路整然とした態度で蠟人形に対処しようとするわれわれの試みはいつも挫かれる。生きた人形として向かいあおうとすると、彼らは嘲笑の眼差しを浮かべ、その蠟という秘密を見せつける。人形として対応しようとすると、抗議のしるしとして苛立ち、怒りを述べたてているかのように見える。単なる物体として無視してしまうわけにはいかない。それをよく眺めると、突然、彼らがわれわれを見ているのではないかという疑念が頭をもたげる。そして結局われわれは、この借りものの生ある屍体に飽き飽きし、うんざりしてしまう。蠟で造形された人間の姿形こそもっとも甘美なメロドラマを体現しているのである。

蠟で造形された人間の姿形が通例煽情的な戯曲や小説にもたらすのは、まさにこのメロドラマ的要素である。ジョン・ウェブスターの『モルフィ公爵夫人』（*The Duchess of Malfi*, 1614）に、公爵夫人に亡き夫と息子たちの蠟製の模像が見せられると、不遇な彼女は本物の屍体と思いちがえるという有名な場面がある。ラドクリフ夫人の小説『ユードルフォの怪奇』（*The Mysteries of Udolpho*, 1794）では、ユードルフォ城の一室の臨終の床に横たわる、幽鬼のように青白く、肉体のそこかしこが腐敗した恐ろしい人間の姿が描かれるが、この人間が実は蠟でつくられた人物像であったことがのちに明かされる。すでに事切れた本物の人間に薄いパラフィン紙をかぶせて、蠟人形を素早く制作する、蠟細工師を主題にした『肉の蠟人形』（*House of Wax*, 1953）というタイトルの立体映画もあった。

このように、現代にいたるまで、蠟を用いた造形美術には、その起源から存在した葬祭との連関が失われたことはない。それというのも、人間がこの素材の特質を認識したときから、蠟は、人間と聖なるものとの、そして人間と死者の影との関係を媒介する役割を果たしてきたからである。蠟で造形された人物像は、幾世紀ものあいだ、有力者の葬儀に欠かせぬものであったし、神や聖人への誓願という信仰の明瞭な表現となった。神に加護を求める誓願は蠟の彫像を通して成就され、敵を闇の力に委ねる祈願もおなじく蠟の彫像を通して果たされた。このまがまがしい子どもじみた営みはすべて、蠟が人間の魂をいくらか有し、生命を与え、生命を保ち、そしてその生命を滅する手段を授ける、という観念に支えられていたのである。

（一九六〇年［上村清雄＋新保淳乃］）

ヴァニタス

おそらくドイツ・バロックのすべてのドラマは、アンドレアス・グリュフィウス（一六一六年〜六四年）とダニエル・カスパー・フォン・ローエンシュタイン（一六三五年〜八三年）のもっとも著名な作品を含めても、フェデリーコ・デ・ロベルトの『副王たち』（*I viceré*）の冒頭に描写されている、見せかけの模造大理石、厚紙でつくられた骨壺、聖テレサ・ウゼダやフランカンツァの王女リザの棺台の上にかかった黒いヴェールから流れ落ちる銀紙でつくられた涙と同じく、芸術作品としては大した価値はないであろう。これらの作品に見られる厳粛な葬儀は、バロックの「埋葬の行進」（funebres pompae）や「苦痛の城館」（castra doloris）の文学的伝統に則っており、その記憶は膨大な一七世紀から一八世紀にかけてのエンブレムの書物を通してわれわれに伝えられているものである。[☆1] しかし、ヴァルター・ベンヤミンが一九二八年に『ドイツ悲劇の根源』という、寓意と芸術哲学一般の透徹した研究の筆を起こすのは、まさにこうした伝統を模倣する者たちの演劇から、嘆き悲しむ泣き女たちの行列からなのである。[☆2]

ある時代、とくにバロックといういわゆるデカダンスの時代にあって、その時代をあますことなく特徴づける作品とは、芸術的価値が高いがゆえにそれ自体時代を超え、自己完結している作品ではなく、独創性を欠くがゆえにその時代の趣好をそのまま映しだし、表現した模倣者たちの作品なのである、とベンヤミンは考えたがそれは誤っていない。このような観点からある種類のドラマについてのベンヤミンの関心が生まれた。この種類のドラマについては、文学史はそれに言及するやいなや、古代悲劇を歪曲した似像とみなし、軽視してしまうであろう。このような演劇は、古代ギリシアの運命劇の域まで達することができず、それらと比較しうるものとして、シェイクスピアはもちろんカルデロンの名をだすことさえほとんど冒瀆と響くであろう。

しかし、哀悼劇／悲劇（Trauerspiel）としてのこのような演劇は、かつて中世の芸術表現の一要素であった「死を想え」（memento mori）において提示された特徴（そのいくつかはバロック期に復興する）、すなわち腐乱、死、欲望の穢らわしい倒錯についての陰鬱な瞑想に見いだされる特徴を具体化したのである。たとえそれらの作品が、とりあげるほどの価値がない凡庸なものであれ、そこに浮かびあがってくる複合体の輪郭は解釈する価値がある。「大建造物については、残存する個々の遺物からよりもその廃墟からのほうが、より印象深くその建築計画の理念を語ることができる」。

さらに強調すべき要素はバロックの演劇言語であろう。たえず寓意を連想させる大文字の濫用によって、「破砕された言葉は、破片としてもはやたんなる伝達に奉仕することをやめ、新しく生まれた対象として、神々や河川や徳や寓意的なものへ高められた、そのほかの類似する自然の諸対象と肩を並べうる威厳をもつものとなる」。寓意的な眼差しは「深みにまで到達した眼差しであり、それは感動を喚起する言葉のなかで事物と作品を変容させる」。そして実際、ベンヤミンの評価にしたがえば、寓意の概念の核心は、一八一〇年に刊行された著作のなかで「あらゆるイメージはたんなる表意記号（イデオグラム）にすぎない」と論じたヨーハン・ヴィルヘルム・リッターによって把捉された。この主張の正しさを考量するためには、これらの時代にヒエログリフ、インプレーサ、エンブレムが流行したことを想い起こせば十分であろう。

キリスト教がヨーロッパに普及しはじめた最初の二、三世紀に、異教の神々が悪魔（ダイモン）と占星術の象徴（シンボル）へと変容し、異教のパンテオンが崩壊することによって生じた寓意は、儚（はかな）さと永遠性がじかに出会うその場にしっかりと根を下ろした。バロック期の人びとにとって寓意とは、人間の条件を形象化するために彼らを魅了した補いあう二つの状態、すなわち、あらゆる現世的なもののヴァニタスと神格化（アポテオージ）という表裏一体となった概念を具現化するために用いられるものであった。しかし宝石や花だけがバロック期の人びとを自然へと惹きつけたわけではなく、同時に、そしてしばしばそれ以上に、衰え滅びていく被造物も関心を惹きつけていたのである。

ジョヴァン・バッティスタ・マリーノやヤン・ブリューゲル、そして花々を描いたオランダの無数の画家たちだけがその精神を具現化したわけではない。天秤の反対側の皿にわれわれが見いだすのは、ジョン・ダン、《オルガス伯の埋葬》（図1）、シャボン玉やパイプの煙という象徴によって表わされた人間劇——劇場として理解された世界——の儚さである。[☆3]そして花を描いた静物画のなかの髑髏、ベルニーニの装飾した《アレクサンデル七世の墓碑》（図2）のように金襴の天幕の下から現われる骸骨、あるいは格子の後ろの暗い背景から現われる骸骨、もしくはカップチーノ派修道院の地下墓地（図3）におけるように、人間の脛骨や小骨の華麗な組みあわせによって一種の装飾的要素と化した、まさに矮小化され、親しみやすくされた骸骨である。

オランダの静物画では、しばしば象徴は対となって現われる。たとえばクリストッフェル・ファン・デン・ベルヘ（一六一七年から四二年のあいだにミッデッルブルクで活躍）の《一個の花瓶のあるウァニタス》（図4）に描かれたテラコッタ製のパイプは、吸い口は蠟燭にもたれ、煙のでる方はトランプ・カードに触れている。そして花は、この絵画的文脈のなかで人生の短さを物語っている。ピーテル・クレースが描く《ウァニタス》（一六二五年［図5］）の絵画では、下顎のない髑髏の近くに、潰された胡桃の実、切り花、時計、燭台の縁まで燃え尽きた蠟燭が順に並べられている。アドリアン・ファン・ニューラントが一六三六年に描いた、別の《ウァニタス》の絵画（図6）では、砂時計、楽器、蝶の傍らに髑髏が登場する。そしてこれも短い生命の昆虫である一匹の蝿が頭蓋骨の額にとまっており、細長い紙に書かれたモットーは次のような警告を発している。「短き悦楽以外になにが存在するというのか」、「生きるために死す[☆4]」。

別のオランダの二枚の《ウァニタス》では、ひとりの少年が夢中になってシャボン玉を吹いている。そのうちの一枚、ヤン・リーフェンスが一六四五年頃に描いた絵画（図7）では、裸体のプットーの傍らに髑髏、脛骨、砂時計が配さ

図１——エル・グレコ
《オルガス伯の埋葬》一五八六年〜八八年
トレド　サント・トメ聖堂

図２——ジャン・ロレンツォ・ベルニーニ
《アレクサンデル七世の墓碑》（部分）一六七一年〜七八年
ローマ　サン・ピエトロ大聖堂

図３——サンタ・マリア・デッラ・コンチェツィオーネ聖堂　地下墓室　ローマ

図4——クリストッフェル・ファン・デン・ベルヘ《一個の花瓶のあるヴァニタス》一七世紀前半
ソールズベリー　チチェスター公コレクション

図5——ピーテル・クレース
《ヴァニタス》一六二五年
ハールレム　フランス・ハルス美術館

図6——アドリアン・ファン・ニューラント
《ヴァニタス》一六三六年
ハールレム　フランス・ハルス美術館

図7——ヤン・リーフェンス《脆弱の寓意》一六四五年
ブザンソン　美術館

図8——カレル・デュジャルダン《人間のヴァニタスの寓意》一六六三年 コペンハーゲン 国立美術館

れている。しかしもう一枚のカレル・デュジャルダンの寓意画（一六六三年［図8］）のなかでは、微笑む少年が、縁から真珠の首飾りが下がっている貝のなかに立ち、左足をガラス玉に載せている。そして右手に握った藁藁から吹きだされたばかりの二つのシャボン玉を目で追い、左手で支える小さな貝殻の上には二つのシャボン玉が揺れている。強い風が暗い海の上の雲を動かし、巻き毛の子どもの衣服を乱し、その身体にからみついている。そしてこの嵐の舞台を背景にして汚れを知らない子どもの自然な笑顔をほうが、人間の死すべき運命を表わすありきたりの象徴よりも、人間の宿命に憐憫の感情を向けさせるのである。

「人間‐泡」（Homo bulla）はイエズス会士のエンブレムの著作に頻出するモティーフである。[☆5] 壊れやすいガラス玉、まさに消えようとする蠟燭（『マクベス』のなかの有名な台詞「消えよ、消えよ、短き蠟燭」のあとには、一時は舞台を沸かせながらそののちは話にのぼらなくなる哀れな役者に喩えられた人生のイメージが続く）、パイプの煙、そしてとりわけ幼い魂がもつ藁藁から吹きだされるシャボン玉。

一七世紀前半に、グァリーニのマドリガルをスコットランドの詩人ウィリアム・ドラモンドが翻訳したさい、イタリアの詩人が人間の生命に喩えた羽毛を、ドラモンドはシャボン玉に置き換えた。

グァリーニ

死すべきこの人生、
かくも美しきものと見えしが、さながら風に舞う羽毛のごとし。
風にもてあそばれ、一瞬のうちに消え去りぬ。
されど、深く考えることなくあちらこちらへめぐり、
ある時は前へ進み、高くあがる。
そして翼の先にて震え、

空中にさらに高くとどまりぬ。
それとてただその性（さが）の軽きがゆえなり。
されどほどなくこと切れぬ。
幾千と頭をめぐらし、幾千の道を歩めども、
とどのつまりは生を享けた大地に落ちぬ。

ドラモンド

美しく見えしこの人生は、
幼き子の息は、
空中に吹きあげられるシャボン玉のごとし。
どこまで追っていけるのかと、
誰が一番遠くへ飛ばせるかと、童子らは戯れぬ。
しばしそこにとどまり（黄金の眼のごとく）、
高き虚空に確と浮かびぬ。
己が意志と見えしこともありしが、
それもただ軽きがゆえなり。
されどその虚飾もほどなく失われぬ。
たとえ賞讃の誉れ高きときなれど、ほんの一瞬にて
無より膨らみしがゆえに、無に帰さん。

ドラモンドは羽毛をシャボン玉に置き換えただけではなく、シャボン玉を、無への分解が宿命づけられた外観としてではなく、アイロニーの調子を込めつつ、ほとんど神聖なものとして、しばらくは空中を「黄金の眼のように」浮遊するものとして歌っている。

この同じ時期に、イギリス詩人のリチャード・クラショーは、エラスムス的箴言（『格言集』［*Adagia*］二・三・四八）である「人間・泡」に想像力に富んだ広がりを与えたが、それはジャン・ルーセが正しく理解しているように、バロック的趣好の頂点をなす表現のひとつとなっている。[☆6] クラショーの詩はラテン語の韻文であるが、一六四六年にケンブリッジで刊行されたヘインシウスの『シリウスの玩具』（*Crepundia Siliana*）に付されてはじめて印刷された。

おまえは誰だ。偶然の珠となって、短き生命を急ぐ、この新しい造化とはなにか。キプロス島の、生まれたばかりのウェヌスが、初々しい膝を揺するように、自らの泡の真ん中に、真紅の身体を露わにし、おまえの光は生命を享けた貝殻から輝きでて、優美に躍動して踊りだし、すぐに幾千もの色彩に酔って背中をたわめ、滑らかな乳房の膨らむ胸をいっぱいに広げる。

脇腹を極彩色に染めた磨かれた珠の上を、好色な虹の女神イリスは百の姿へと、変幻自在に踊る姿へと、変容しながらさまよい歩く。あたり一面を支配して飛翔する女神は、楽しげに軽々と躍動し、危なげに回りながら、放恣な姿態を見せ、自らの美しさにためらいながら、逃げ去っていく。この女神はあまりに儚く、すでに通った道にとどまることなく新たな彷徨をはじめ、色彩をほとばしらせ、うねり、華麗に酔う。こうした変化のなかで光を発しながら、隊列は混乱して分裂し、狂った群れは、田畑の上を飛び交い、滑らかな平原の上を、秩序を失って消え去り、飛び散り、見えなくなっては、またその姿を現わす。

美しき混沌はここで四方へと飛び散る。この生き生きとした流れは、あてどなく、自らは方向をもたない。集まったさまざまな流れは、混ざりあい、共通の河床のなかで、その壮麗さを満たす。離ればなれになっていても、それが定かではなく、その兆しも微妙であるように漠然とした、かすかに結びつきを明らかにしながらも、しかしその至上の壮麗さは、真の姿を示すことなく、また自らの容貌を輝かせることもない。甘美な真紅の魂は、息吹を重ねあわせ、個々の輝きを放棄しながらも豊かさを増して煌々と光る。この漠とした花の奔流のもと、この花が集まってひとつとなった光のもと、この花の一つひとつを通して金色の春が生まれ、それらすべてが満ち足りた豊穣をあふれさせる。たしかにここではすべての色彩が存在しているのに、誰もそれを見分けることはできない。そして高慢な隣人は、その漠然とした姿に息をつまらせる。

彼方では青白き光は出会った水のなかでその勢いを失い、此方では近くの炎に酔った弱き波の流れは真紅の道を見いだし、赤い河床にたゆたう。乳白色の河は血のような薄い赤紫の輝きを舐め、一瞬よぎった金色はいまにも淡青色の海に刺さるように落ち、ゆらゆらした光の軌道は漠とした霧のまえでふらつくばかり。そして真っ赤な葡萄の下に純潔の百合が燃え盛るかのように。

雪が近くの薔薇を親身に見守れば、薔薇は雪に火を灯し、そして雪は薔薇の花の火を消す。彼方では放恣に踊るその容貌は緑の傍らで赤く染まり、此方では赤の傍らで緑に染まる。そしてどのような形姿であろうとも、星形の動く車輪を具え、たえず優美な回転を続ける。ここに天の力が働き、珠は珠と交差する。ここに黄金の毛の羊が群れ、天空（エーテル）に光り輝くその群は、夜の黒い牧草をただ噛み食むばかり。ここで天に形なす淡く円い劇場が、ときには明るく、ときには微かに目を射るそのさまは甘美なる戯れをなすばかり。

柔和な世界は自らの抱擁に包まれ、珠の胸のなか、自ら輝きながら彷徨う。不意に光が揺らめき、たゆたう陽光を照らしだす。ひそかに逃げ去り、高慢さの影に身を隠し、勝ち誇った輝きを消し、尊大に身をひそめる。このささやかな造化の外観は、すべてを無に帰す。すべてが移り変わるのは、シチリア玉のような、ガラス製ではないのに、ガラスよりもさらに輝き、ガラスよりもさらに脆く、ガラスよりもさらに光沢のある、球体のなかである。

私は、風の束のまの幻想、大気の花、海の星、自然の金色の戯れ、自然の漠たる寓話、自然の束のまの夢。儚きものの誉れと苦痛、甘美なわけ知り顔のヴァニタス。不実な微風の娘、うつろう美の母、誇り高き幸福な雫。私は、定めなき希望への償い、大地の女神へスペリデスの島のひとつ、美の聖体器、見つめあう恋人たちの明らかに盲目の瞳、偽りの幸福の心。

私は、盲目の女神が用いる鏡、運命の女神がその配下に与える証、運命の象徴、生に酩酊する死すべき輩のかよわき信仰を固めさせ、契約をまっとうさせるもの。私は、優しき、厚顔な、美しい、優美な、真紅の、気品ある、華やかな、愛らしき、新しきもの。私は、雪と薔薇、水と空気、そして火の混合物、彩色され、宝石で飾られ、金色に輝くもの。私は、無なるもの。

もし生気に満ちたシャボン玉が退屈なまでにその長き栄光を保つと見え、それが気にかかるならば、眼をあげて見よ。ほんの小さな塊は流れさり、宿命の女神パルカは、たちまちシャボン玉を消滅させてしまう、この瞬間までは生きていたのに。なぜ生きていたのか。それは、あなたがそのときまで語っていたからではないのか。そして、そのときこそ死すべきときであった。

クラショーのこの驚くべき叙情詩によって、われわれの目の前には「われらが地の上では／見ることかなわぬ甘美な眺め」（シェリー「ジェーンに——思い出」［"To Jane, The Recollection"］）が万華鏡のように通りすぎる。細密画に表わされた風景、見事な技巧のかぎりを尽くした言葉によって示された、微動だにしない魅惑的な光景。クラショーの言葉は、しばしば高き詩想（ポエジーア）のイメージをかきたてる。たとえば、「黄金の毛の群、天空に光り輝くその群は、夜の黒い牧草をただ噛み食むばかり」という鮮やかな色彩をもつ表現が、古代の天空との類似を彷彿とさせるように。

クラショーが「泡」（"Bulla"）のなかで求めたのは、色彩のみが達成できると言われる効果であり、それはまさに、イエズス会士ファミアーノ・ストラーダが『アカデミア試論』（*Prolusiones Academicae*, Lyon, 1617）で導入したラテン語の表現様式のヴァリエーションを試みたクラショーの別の詩にも表現されている。このストラーダの表現様式はクラウディアヌスのそれに範をとったものであり、イギリス、オランダ、フランスの人びとによって、そしてイタリアのマリーノ（『アドーネ』［*Adone*］第七巻三一行以下）によって摸倣されている。
クラショーの詩「歌くらべ」（"Miscicks Duell"）において彼は、読む人の心のなかに、音に感応して魂が刺激される状態を再現することを目指している。芸術の境界と包含力を超えようとする大胆な試みによって、クラショーがほかのどの同時代人の詩人よりも強烈に、そして成功裡に実現させた結果こそ、バロックの美学全体が求めたものと言うことができるであろう。表現のこの錯綜性、すべての芸術ジャンルが出会い混淆する、この他に例を見ない普遍的な芸術がバロックなのである。「泡」と「歌くらべ」は、建築に絵画的方向性を与え、詩作品から造形的そして音楽的な効果を得ることを求めた時代の技巧を極めた作品なのである。
こうした時代であったからこそ、個々の芸術経験の至上の果実としてのメロドラマ、すなわち、言葉と音楽と絵画が個々の要素を包含しつつ乗りこえる「第三のもの」（tertium quid）を創出する「総合芸術」（Gesamtkunstwerk）が生まれたのである。クラショーの同時代人、イエズス会士エティエンヌ・ビネ師が『驚嘆すべきものについての随想』（*Essays des merveilles*）で描きだした露の雫についての一節をジャン・ルーセが引用しており、それはおそらく「泡」を至上の到達点とするバロックの妙なる技巧が深く浸透していたことを明らかにするものであろう。

百合の花の上に落ちる薔薇色の小さな水滴は、あたかも聖母の胸のなかにあるがごとく、小さな円い水滴とも水晶の玉とも見えよう。だが太陽の光が届くとき、ああ、なんという美の奇跡であることか。また、東洋の真珠のようにも見えよう。だが仔細に眺めてみたまえ。その水滴は、輝く柘榴(ざくろ)に、ついでサファイアに、それからエメラルド、紫水晶、「無」のなかに封印された存在すべて、そして世界に彫りこまれた偉大なる美すべてを映しだす小さな鏡となろう。水滴を、東洋の真珠を、天が地を潤すマナの滴りを映す鏡となろう。

フィリッポ・ピチネッリ師のエンブレム百科『象徴的世界』（*Mundo simbolico*）は、クラショーの死後まもなく刊行されたが（ミラノ、一六五三年）、「泡」（第二巻三二〇ページ）の項目には次のように書かれている。

［泡は］世俗的なことすべてを表わすイメージである。ペトルス・ケレンシスの［『書簡集』］第五巻第一三書簡には、「泡は走り、流れ、滑り、消え、この世界ではけっして利用できない」とある。聖ニルスの［『格言集』］第二一一番には、「世俗的なものはすべて影であり、煙であり、泡である」とある。ナジアンゾスの聖グレゴリオスの『愛すべき貧者について』第二説教には、「混合され構成されたものはすべて、自らの状態を永続させることはできない。身体は長く存続しえず、われわれの魂を包む泡のごときものである。泡が消滅すれば、この中空の円に宿る生命のいかなる痕跡も残らない」とある。そしてとりわけ『知恵の書』（五・一五）には、「不敬なるものの希望は、いわば毛髪のごときもので風によって運び去られ、またいわば虚ろな泡のごときもので突風によって吹き飛ばされる」とある。

子どもたちが戯れに、水と泡立てた石鹸でつくる透明なシャボン玉、それは見事で豊かな色彩を映す。まさにそのなかには花の優雅さ、宝石の高貴さ、天空の虹の壮麗さが凝縮されているように思われる。しかし、これらの一つひとつは、カルロ・ランカーティが述べるように、「輝きつつ滅する」。美、威厳、この世の栄光は、それらがたいそう華やかに見えようとも、けっして永続するものではない。聖グレゴリオスが『道徳論』第一六巻第五章で警告しているように、「肉の栄光は、輝きつつ滅する」。

人間一般にかかわる事柄の儚さを表現する、一七世紀によく用いられた別のエンブレムは「時計の歯車」である。ピチネッリの『象徴的世界』第二一巻第一〇章には、「時計の文字盤は人生と地上の幸福をともに表わす」と書かれている。この意味——時計には多くの意味が与えられている——では、時計は、大鎌とともにサトゥルヌスのアトリビュートである砂時計、人間の生命の儚さを象徴する砂時計と等価なものである。「『我は小さな塵芥（あくた）、脆いガラスなり』と語られる砂時計は、塵芥のように細かく定めのない人生、そしてガラスのように儚く脆い人生を表わす象徴となっている」。そしてピチネッリは、人生を砂時計に喩えるチーロ・ディ・ペルスの詩句を引用している。

束のまにすべてが消え失せる。
ここに死すべき汝の姿は映れり、それゆえ学ぶのだ。
人生はガラス、人は塵芥、と。

歯車で動く時計、砂時計、溶けた蠟燭、髑髏、煙の立ち昇るパイプ、シャボン玉、ガラスの壊れやすい球、萎れた花、短い生命の蝿や蝶は、すでに述べたようにヴァニタスを主題としたオランダ絵画に頻出する。カール五世が神にその身を捧げて残りの生涯を終えようと、あえてサン・ヘロニモ・デ・ユステ（詩人たちによってしばしばサン・ユストあるいはサン・ジュストと誤って呼ばれる）修道院に隠遁したさい、身近に時計のコレクションを置いていたことはよく知られている。そのなかに、先に述べた死すべき運命を表わす象徴のいずれかが配されていたと想像することもできるであろう。というのは、彼は袖なし肩衣（スカポラーレ）、棺、小さな部屋、粗末な毛織物しか求めず、存命中に「死の葬列（マカーブル・ポンパ）」を執りおこなわせ、自らの葬儀を済ませていたと伝えられるからである。

しかしながら、事実はちがうようである。というのは、たしかに皇帝が修道院に隣接して建造させた居館は、夏のあいだは灼熱の地となり、冬のあいだは健康に悪い霧がおおい、土砂降りの雨が降りしきるエストレマドゥーラの山々のあいだに位置していたが、それは小さな部屋ではなく邸宅（ヴィッラ）であったからである。彼はそこに小さな宮廷を営み、豪奢をきわめたというわけではないが、さりとて禁欲的な生活を過ごしたわけでもない。各部屋には高価な家具、織物、絨毯、絵画、書籍、地図、また好奇心をそそる機械仕掛けの遊戯装置、そして時計のコレクションが納められていた。

伝えられるところによれば、皇帝は、庭園にいかに新奇な花壇をつくるか、魚を養う場所や鳥網をしかける場所をいかに配置するかを考えて楽しみ、また暁には薔薇色に、日没には黄金色に染まるシエラ山脈の麓に広がる平原に向かって瞑想した。しかし、身体の弱さのために自分の部屋に閉じこもることが多かった皇帝は、時間の大半を、機械の原理を学ぶこと、そして創意あふれる技師トリアーノとともに珍しい自動人形をつくることに費やした。アレクサンドリアのヘロンは、管を細工して水をいかに飛ばすか、また歯車と軸、滑車、小歯車を巧みに用いて、歌う鳥、シューシューと息を吐く龍、矢を引くヘラクレス、勤勉に働く鍛冶屋たち、生け贄を捧げる神官などがおこなう、あたかも生命を吹きこまれたかのように驚異的な動作をいかにつくりだすかを教示した。

皇帝カールの居館に見られたのは、羽根をたたいて拍手し、やかましい声をあげるナイチンゲール、革袋を傾けて石棺に水を注ぐ小サテュロス、そして黄金の林檎の木を護ってヘラクレスと戦い、棍棒に打たれてシューシューとうなり、攻撃する相手の顔に水を吹きかける龍である。そして「ミリアーリ」というガラス管は、絶妙な仕掛けによって喇叭やトリトンの法螺貝に音を与え、鳥に歌声を授けた。そして「アルターリ」と呼ばれた別のガラス瓶の透明な壁を通して、幾組かのカップルが華麗に踊る様子を目にすることができた。水を飲み、食べ、囀り、水のなかで飛沫（しぶき）をあげ、消化する、かの有名な機械仕掛けの家鴨（あひる）をつくったジャック・ド・ヴォーカンソンが二世紀後のこの時代に生まれていたならば、おそらくシャボン玉を吹く自動人形の少年をつくっていたにちがいない。

この皇帝は、水を巧みに使った仕掛けや発条（ばね）仕掛けによって動く自動人形を好んだ。そして、これら神秘的な機械仕掛けの創造物を見た修道僧たちは、自分たちの目を信じることができず、しばしば次のように自問した。傍らにいる高貴な人物は、神に仕えるために隠遁した者なのか、それとも闇の力によって自動人形と意志を通じあう魔術師（マーゴ）なのか、と。

しかしこの皇帝がとりわけ好奇心を抱いたのは時計の仕掛けであった。というのも、よく見ればわかるように、自動機械のなかで時計ほど魅力的で人びとの心を当惑させるものはないからである。人間の仕草や動きを摸倣し、動物の声を真似る自動人形は、Ｅ・Ｔ・Ａ・ホフマンが強調したように、それ自体がなにかしら奇妙で不吉なものを内に孕んでいる。しかし時計は、生命のもっとも奥深いリズムを摸倣し、心臓のように時を打ち、あたかもその歯車に生命ある被造物と同じ血が流れているかのように、同じ規則性をもって脈を打つ。時計とは、生命ある被造物と化した時間なのである。

この俗世に倦んだ皇帝が、時計がチクタクと音を立てる部屋から部屋へと次々と巡り歩く様子を想像することができる。チクタクと時を刻む大小の装置から伝わる時の脈を計ることに専念する医師。自分の生命の終わりが近いと感じて、皇帝は熱を計るように好んで時を計ったのである。そして彼の部屋という部屋でひっそりと音をたてる時計のコーラス――そのなかには死者の顔の形をした時計もあったにちがいない[☆7]――は、修道僧たちが唱和する讃美歌よりも、あるいは隣の修道院の鐘塔の鐘の音よりも、彼の想念を「永遠なる神」へと誘ったのであろう。

かつて多くの異なる民族の国王であった彼は、同じ時を刻む小さな時計という民たちを統治することで自らの日々を終えようと望んだ。なんという奇妙な孤独に包まれていたことだろうか。部屋という部屋に響くのは、チクタクという音、この小さな心臓のせわしないざわめき、多くのさまざまな声がつくる音色は、部屋から部屋へと歩哨兵のように点呼し、きまった間隔をおいて時を打ち続けながら、この世に倦んだ国王に、彼と神とを隔てる道程を彼自身がまた少し先に歩んだことを告げる。

しかし時計は、生命ある被造物と化すがゆえに、悪徳や綺想をあわせもち、各々が完璧に協和することを知らない。そのとき、皇帝は歴史に残るような言葉を放った。彼は、たった二つの時計すら両者の時間を一致させることができないことを発見したとき、人びとを和解させようという空しい試みに多大の時間と労苦を費やした自らの狂気を、驚愕と後悔の念が入り混じるなかで悟った。カールの失望はなんと哀しみに満ちたものであったのか。彼は、その生涯の最期の日々に、この世の騒乱から逃れることができたというイリュージョンをもたらす協和を、すなわち彼のすり減った心臓と共鳴するかのようなイリュージョンを与え、暁と日没を導く〈時〉のリズムと一体化し、そしてほどなく彼を待望の休息へと導こうとする心臓たちのユニゾンをなす響きを、自らの周りに希求していたにちがいないのである。

（一九四六年〔若桑みどり・伊藤博明訳〕）

エピローグ　官能の庭
――バロックの宇宙のただなかへ

二〇世紀イタリアが生んだ、傑出した文学・美術批評家マリオ・プラーツ（一八九六年～一九八二年）については、既刊の『官能の庭Ⅰ　マニエーラ・イタリアーノ――ルネサンス・二人の先駆者・マニエリスム』の「エピローグ」に記したので、ここでは本書『官能の庭――バロックの宇宙』に収められた諸論考について簡単に紹介しよう。

プラーツの一般的なイメージと言えば、万巻の書物と無数のオブジェに囲まれて、ローマの貴族が所有していた邸宅の一室で、倦むことなくペンを走らせている偏屈な教授というところであろうか。一九六五年にセルジオ・デ・フランシスコが描いた、大きな部屋の片隅の書き物机の向こうに佇むプラーツの姿（図1）は、プラーツ生誕七〇周年記念論文集『友情の花輪』（一九六六年）に折りこみで収められ、また彼の『舞台裏の声――ある私的アンソロジー』（一九八〇年）の表紙裏を飾り、読者の目に焼きついたはずである（パトリツィア・ロザッタ＝フェッラリス編『マリオ・プラーツ博物館』、ローマ、二〇〇八年、カタログ番号一九〇）。また、ルキーノ・ヴィスコンティ監督の『ある家族の肖像』（一九七六年）に登場する老教授のモデルがプラーツとみなされていたことも、この観方に影響を与えたかもしれない。

ところがプラーツは――晩年は別にして――ヨーロッパのみならず、世界の各地を旅して多くの紀行文を執筆している。そもそもプラーツは、一九二三年にイタリア教育省の奨学金を得てイギリスに留学し、同年末から一九三一年までリヴァプール大学でイタリア語を教えていた。そのあいだにスペインを訪れ、一九二八年に旅行記『五角形の半

図1――セルジョ・デ・フランシスコ《書斎のマリオ・プラーツ》一九六五年
ローマ　プラーツ博物館

島』が刊行されている。同書は一五五五年に『私が見た世界Ⅰ』として再刊され、同時に刊行された『私が見た世界Ⅱ』は「西洋の旅」と題されている。後者に含まれた論考のタイトルから地名だけを拾うならば、クノッソス、アテネ、デルポイ、コルシカ、ロンドン、エディンバラ、オックスフォード、バーミンガム、パリ、ボルティモア、ミシシッピ、ニューヨーク、グランド・キャニオン、そしてロマーニャ、ヴェネツィア、モンテプルチャーノ、ボマルツォ、カタルーニャ等々となる（プラーツ「官能の庭」シリーズ続編）。

このなかに含まれていない西洋の都市が「バロックの都市プラハ」（本書所収）である。「チェコスロヴァキアのディイェ河流域の原始林におおわれた湿地には白鹿が住んでいる」という美しい文章から始まる論考は、プラハがバロック発祥の地であるローマをも凌ぐバロック的な都市であることを、マラー・ストラナ地区の邸館の名を一つひとつ挙げつつ、またストラホフの図書館の天井に描かれた「黄金に輝く天国のヴィジョン」と一種のエンブレム・ブック『ボヘミア＝ヘルシニアのヘリコーン』の表紙に触れつつ、聖ミクラーシュ聖堂の大円蓋と鐘塔によって創りあげられる光景にいたるまで、華麗な筆致で描きだしている。

プラーツは中米・南米にも足を伸ばして、スペインやポルトガルから移植されながらも、当地の伝統的文化と混淆して独自の発展をとげたバロック・ロココ的様相について、「メキシコの聖堂」と「熱帯のロココ様式」において論じている。この旅程の白眉と言うべきは、ブラジルのトドス・オス・サントス湾に面した古い港町バイア（サルヴァドール）の、夜空に燦然と輝くサン・フランシスコ聖堂の装飾であり、またなによりも、ブラジルの原野を横切る苦難の旅の末にたどりついた、コンゴーニャス・ド・カンポのボン・ジェズース・デ・マトジーニョス聖堂の大階段に立ち並ぶ、アレイジャディーニョの預言者像たちである。ブラジルはプラーツに、「世界でもっともシュルレアルな国」という印象を与えたのだった。

イタリアにおけるバロックの旅の訪問先は、本巻ではローマではなく、「理性の眠りを何世紀にもわたって続けてきた」シチリアの聖堂と邸宅（ヴィッラ）であり、そして、北イタリアのヴァッラッロの聖域サクロ・モンテである。四四の礼拝堂に展示されたテラコッタ像を拝顔しようと、サミュエル・バトラーの『アルプスと聖地』（一八八一年）とジョヴァンニ・テストーリによるカタログ（一九五九年）を手引きに、サクロ・モンテの丘へロープウェイで登り、「魔術的な領域」に立ち入ってプラーツが目にしたものは、正面から見ると生き生きとして量感にあふれているが、背後から見ると肉体は空洞となって、「肉体なきスペクタクル」に戻った人物像であった。

現在プラド美術館に収められている、ヤン・ブリューゲル（およびペーテル・パウル・ルーベンス）の人間の五感を表わす五枚の寓意画を、ジョヴァンニ・バッティスタ・マリーノの『アドーネ』の描写と比較しながら論じているのは、プラーツ批評の真骨頂と評すべきであろう。人間にほとんど興味を抱かなかったブリューゲルが願った事物の世界への没入は、事物をそれ自身において、それ自身のために崇拝することへ、自然そのものの崇拝へと導く。アンドリュー・マーヴェルがこう歌ったように、「創造されし万物を無にしつつ／緑陰のなかの緑の思惟に帰すまで」。

ヤン・ブリューゲルの寓意画が、エル・エスコリアルの宮殿に住む、スペインの憂鬱な君主たちの気晴らしのために描かれたとするならば、その数十年前にカール五世は、サン・ヘロニモ・デ・ユステ修道院に隠遁し、快適な邸宅（ヴィッラ）

でさまざまなオブジェに囲まれて暮らしていた。本書の末尾を飾る論考「ウァニタス」は、初出では「カール五世の時計」と題されていたが、この皇帝がとりわけ好奇心と抱いたのは時計の仕掛けであった。この皇帝は、「たった二つの時計すら両者の時間を一致させることができないことを発見したとき、人びとを和解させるようとする空しい試みに多大な時間と労苦を費やした自らの狂気に」愕然としたという。生涯にわたって鏡を愛したプラーツは、人生の最期にパラッツォ・プリーモリの書斎で何を想っていたのであろうか。

　本書に収められた論考の初出および再録は以下のとおりである。

「バロックの都市プラハ」　"Praga barocca," *Il Tempo*, 28 maggio 1968.

「ボヘミアとシチリアのバロック」　"Barocco in Boemia e Sicilia," *La Nazione*, 21 maggio 1949 ["Oriente e Occidente s'incontrano a Catania"], *Il Tempo*, 8 febbraio 1967 ["Rococò in Sicilia"], e *Il Tempo*, 4 agosto 1969 ["Biaggio tra il Barocco"].

「メキシコの聖堂」　"Chiese del Messico," *Il Tempo*, 17 agosto 1965 ["Quasi un linguaggio stregonesco il barocco delle chiese messicane"].

「熱帯のロココ様式」　"Il rococò nei Tropici," *Il Tempo*, 1 ottobre 1960 ; in Praz, *I volti del tempo*, Napoli : Edizioni Scientifiche Italiane, 1964.

「サクロ・モンテの礼拝堂」　"Le cappelle dei Sacro Monte," *Il Tempo*, 3 novembre 1963 ; in Praz, *I volti del tempo*.

「官能の庭」　"I Giardini dei sensi," *Communità*, Settembre 1946 ["Jan Brueghel e G. B. Marino"] ; in Praz, *La casa dell fama*, Milano - Napoli: Riccardo Ricciardi, 1952.

「ズンボが造形したペストの光景」　"Le pesti dello Zumbo," in Praz, *Bellezza e Bizzarria*, Milano: Alberto Mondadori, 1960.

「ウァニタス」　"Vanitas," *Il Tempo*, 30 giugno 1946 ["Gli orologi di Carlo V"]; in Praz, *Lettrice notturna*, Roma: Casini, 1952.

　邦語版『官能の庭――マニエリスム・エンブレム・バロック』は一九九二年二月に、若桑みどり他訳で刊行された。本書はその第五部「バロックの宇宙」から八篇を選び、新訳として刊行するものである。ただし、若桑氏も上村氏も故人となられているので、翻訳については伊藤・新保が慎重に確認し、修正したことをお断りしておきたい。

　二〇二二年七月　　訳者を代表して　　伊藤博明　識

註

バロックの都市プラハ

☆1——Gordon Logie, *The Urban Scene*, London: Faber, 1954.

ボヘミアとシチリアのバロック

☆1——Christian Norberg-Schulz, *Kilian Ignaz Dientzenhofer e il barocco boemo*, Roma: Officina Edizioni, 1968.

☆2——ガリアルディと東部シチリアのバロックについては、一九六四年にガエターノ・ガンジが書いているが、彼もトゥーリング・クラブ・イタリアーノのガイドブック（一九五三年）も、ノルベルグ＝シュルツが示唆しているように、ガリアルディが建造したきわめて特徴的な聖堂、すなわちニシェミのマドンナ・アッドロラータ聖堂とカルタジローネのサンタ・キアーラ聖堂には言及していない。ガンジは上記の書物に続いて『西部シチリアにおけるバロック』（Gaetano Gangi, *Barocco nella Sicilia occidentale*, Roma: De Luca, 1968）を著わした。この著作においてガンジはわれわれに、パルメルチダの饗宴を、一八世紀ドイツの「模造料理」（Attrappengerichte）のご馳走——遠くからは本物に見えるが、実際は派手に彩色されたテラコッタでつくられている——が盛られたような、純粋に視覚的な食卓として提供している。

☆3——Gioacchino Lanza Tomasi, *Ville di Palermo*, Con l'introduzione di Cesare Brandi, Palermo: Edizioni Il Punto, 1966.

☆4——Gaetano Gangi, *Il barocco nella Sicilia orientale*, Roma: De Luca, 1966.

熱帯のロココ様式　原註

☆1——George Kubler and Maria Soria, *Art and Architecture in Spain and Portugal and their American Dominions 1500-1800*, "Pelican History of Art," Harmondsworth, Middlesex - Baltimore: Penguin Books, 1959.

サクロ・モンテの礼拝堂

☆1——これらの礼拝堂の歴史と寄進者については以下を参照されたい。Peter Cannon-Brookes, "Varallo revisited," *Apollo*, August 1974.

官能の庭

☆1——Fabrizio Clerici, *Allegorie dei sensi in Jan Brueghel*, Firenze: Electa Editrice, 1946.

☆2——Andrew Marvell, 'The Garden,' in *Miscellaneous Poems*, London, 1681.

ズンボが造形したペストの風景

☆1——Hieronymus Cardinale Gastaldus, *Tractatus de avertenda et profliganda peste Politico-Legalis*, Bononiae, Ex Camerali Typographia Manolessiana, 1684.

☆2——ズンボによって製作されたこれらの蠟彫刻は、そののちアルノ河に近いフィレンツェ大学付属自然史博物館ラ・スペーコラに移された。一九六六年一一月にフィレンツェを襲った大洪水によって壊滅的な損傷を受け、その修復には最善が尽くされたが、往時の状態を回復させることはできなかった。

☆3——この解剖標本は、ジェノヴァとマルセイユにおいて制作され、一七〇一年五月二五日に公開された。パリの植物公園の収蔵庫にてこれを再発見したフランコ・カニェッタ教授は、この芸術家の経歴にかかわる膨大な記録を収集し、その名前"Zummo"を貴族の一門の"Zumbo"と同定し、彼をこの貴族の子孫とみなした。

☆4——ズンボによるペスト患者の描写は、マッティア・プレーティとフランチェスコ・ソリメーナに代表されるナポリ絵画の伝統を継承したにすぎない。ソリメーナは、一六五六年のペスト流行のさいにプレーティがナポリの城門に「誓願のしるしとして」(ex voto) 描いた「恐怖に満ちた」絵画を賞讃している［図1・図2］。これらの絵画については、B・デ・ドミニチが『ナポリの画家、彫刻家、建築家の列伝』中のマッティア・プレーティ伝において言及している (Bernardo De Dominici, *Vite dei pittori, scultori ed architetti napoletani*, Napoli, 1744, ediz. 1846, vol. IV, pp. 33-34)。「神殿の階段の上には、一人の死んだ女が仰向けになって横たわっている。その体温の失せた乳房から幼児が乳を吸おうとしている。そして同じ階段の上で、一人の裸体の大男が白布で包まれた遺骸を紐で引いている。［マッティアの］言うところによれば、彼はこの情景をその眼で見たという。……この裸体の男は背丈のたいそう高い奴隷であり、その彼が遺骸を引いているところを描いたのだという。……マッティアはこれらの人物像が見事に描かれたと確信している。これらの人物像につい

図1———マッティア・プレーティ
《一六五六年ナポリのペストの奉納画》一六五七年〜五九年　フレスコ壁画
ナポリ　サン・ジェンナーロ門

図2——マッティア・プレーティ《無原罪の御宿りの聖母、諸聖人、ナポリのペスト》（ナポリ市門フレスコ壁画のための習作）　一六五六年〜五九年
ナポリ　カポディモンテ国立美術館

ては、かの高名なるわれらのフランチェスコ・ソリメーナと私で幾度となく議論したものである。ソリメーナは、この城門を通るたびにそれらの人物像に賞讃の目が向かってしまい、そうならないために幾度も足を別の方向に向けなければならなかったことを認めていた」。

☆5——Jules De Goncourt, Edmond De Goncourt, *L'Italie d'hier, Notes de voyages 1855-56*, Paris: Charpentier et Fasquelle, 1894, p. 140, «Les Pestes».

☆6——実際に鼠がいるのは、ゴンクール兄弟が「ミラノのペスト患者たち」と呼ぶ作品である［本文中図10］。ローマのペストを描いたこの作品について、彼らが女性と言っているのは、おそらく一匹のゴキブリが肩を這っている女性であろう。この女性の身振りは、ヨーハン・ハインリヒ・フュスリのもっとも有名な作品《夢魔》（デトロイト・インスティチュート・オブ・アート蔵）における、夢魔の犠牲となっている女性と非常によく似ている。

☆7——José Ortega y Gasset, *The Dehumanization of Art*, Princeton: Princeton University Press, 1948, p. 28.

ヴァニタス

☆1——以下を見よ。Juliusz Chroscicki, *Pompa funebris*, Varsavia: Państwowe Wydawnictwo Naukowe, 1974.

☆2——Walter Benjamin, *Ursprung des deutschen Trauerspiels*, 1928. イタリア語訳は以下。*Dramma barocco tedesco*, Torino: Einaudi, 1971.

☆3——Frank J. Warnke, "The World as Theatre: Baroque Variations on a Traditional Topos," in *Festshrift für Edgar Mertner*, München: Fink, 1969.

☆4——ヴァニタスの一七世紀オランダ絵画の展覧会目録を見よ。*Idelheid der Ijdelheiden*, Leiden: Museum "De Lakenhal," 1970.

☆5——たとえば、一六一九年にミュンヘンで、ラファエル・サドラーの銅版画を付して刊行されたグリエルムス・ガイルキルヒャーの『永遠性の四頭立て二輪戦車』（*Quadriga Aeternitatis*）のなかには、ストローでシャボン玉を吹きながら頭蓋骨にもたれる幼児のイメージが見いだされる。幼児の上方には「人間 - 泡」（Homo bulla）と記されており、下方のラテン語は次のように訳すことができよう。「泡とはなんであろうか。芽を出しはじめたかよわき花、風のなかの煙であろうか。それは『無』なのである。だが、人生はそれよりも良いものであろうか」、一七二五年にアウグスブルクで刊行された、スクオーレ・ピーエ修道会士サン・ブルノーネのマルティヌス『ヴァニタスのウェルトゥムヌス』（*Vertumnus Vanitatis*）では、扉絵にシャボン玉を吹く幼児の姿が、ヴァニタスのほかの象徴（蠟燭、煙が出ているパイプ、鏡、船に近づくセイレンなど）とともに描かれている。また第一五エンブレムは、シャボン玉を吹く幼児であり、次のような言葉が添えられている。「小さき魂は空気を含んで大きくなり、脇腹を広げて、球のごとく膨れあがる。球体は浮遊して目を楽しませるが、たちまち『無』に帰してしまう」。このあとに、同一のテーマによる二三のラテン語の短い文章が続いている。

☆6——Jean Rousset, *La littérature de l'âge baroque en France*, Paris: José Corti, 1954, pp.191-92.

☆7——Edouard Gélis, *L'Horologerie ancienne*, Paris: Librairie Gründ, 1950, p.9.

人名・作品名　索引

ア行

カ行

サ行

官能の庭Ⅳ

官能の庭

——バロックの宇宙

二〇二二年八月一五日　発行

著　者——マリオ・プラーツ

訳　者——伊藤博明（専修大学文学部教授／イタリア思想史）
若桑みどり（一九三五年生～二〇〇七年歿／イタリア美術史）
上村清雄（一九五二年生～二〇一七年歿／イタリア美術史）
新保淳乃（武蔵大学人文学部講師／イタリア美術史）

監　修——伊藤博明（専修大学文学部教授／イタリア思想史）

企画構成——石井　朗（表象芸術論）

装　幀——中本　光（エディトリアル・デザイン）

発行者——松村　豊

発行所——株式会社　ありな書房
東京都文京区本郷一—五—一五
電話　〇三（三八一五）四六〇四

印刷／製本——株式会社　厚徳社

ISBN978-4-7566-2281-5 C0070

シリーズ　マリオ・プラーツ〈官能の庭〉Ⅰ～Ⅴ　監修　伊藤博明

官能の庭Ⅰ
マニエーラ・イタリアーナ――ルネサンス・二人の先駆者・マニエリスム　定価　二四〇〇円＋税

官能の庭Ⅱ
ピクタ・ポエシス――ペトラルカからエンブレムへ　定価　三〇〇〇円＋税

官能の庭Ⅲ
ベルニーニの天啓――一七世紀の芸術　定価　二八〇〇円＋税

官能の庭Ⅳ
官能の庭――バロックの宇宙　定価　二四〇〇円＋税

官能の庭Ⅴ
パリの二つの相貌――建築と美術と文学とⅠ　フランス（仮）　予価　未定